2週間で

さきどり追いつき

中学数学

JN029712

はじめに

この本は、中学入学前のお子さまが、中学校の数学の内容を無理なくさきどりして学習することができる教材です。中学生になったお子さまが、中学前半の数学の内容をふり返るのにも役立ちます。

この本では、中1の前半で学習する「正負の数」、「文字と式」、「(1次)方程式」を扱っています。全体の構成は、まず各章のはじめにまんがで基本事項を確認し、次に日割式で、穴埋めしながら代表的な例題の解き方をていねいに学習します。最後に練習問題を実際に解いてみることで、学習したことが定着できるようになっています。

数学は「積み上げ教科」です。中学の数学は、小学校で学んだことを土台にして展開していきます。難しい用語をできるだけ避けて、中学校で学習する事項だけでなく、小学校の算数の内容も必要に応じて取り上げているので、小学校までの積み残しがあっても無理なく理解できるようになっています。

この本を集中的に学習することで、中学校の数学の授業に自信をもってのぞむことができます。

Gakken

この本の構成と使い方

この本は，中１数学前半で学ぶ内容が学習できるようにつくられているよ。解説をよく読んで，穴埋めしながら進めていこう。理解度を確認できる練習問題もあるので，書き込みながらしっかり勉強できるよ。この本にそって勉強を進めていけば，中学校の数学に自信がつくよ。

さあ，がんばって取り組もう。

◎各章の流れ

スタート学習

まずは，各章のはじめにあるスタート学習で，基本的な用語などを確認しよう。まんが仕立てで楽しく勉強できるよ。

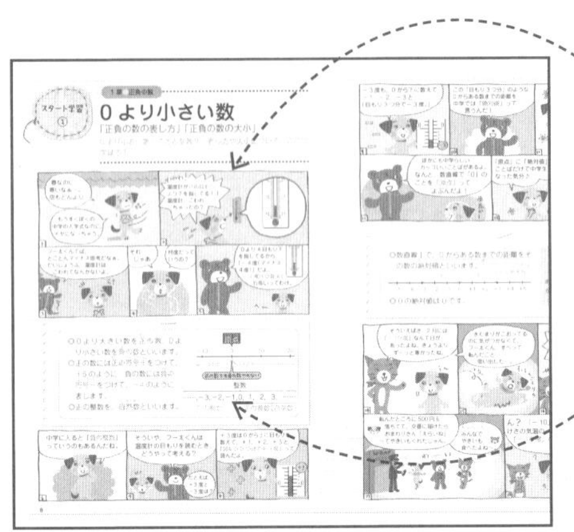

●まんがで楽しく展開

●大切な用語や重要事項がまとめられているよ。

日割式で学習

●重要な例題にしぼって解説

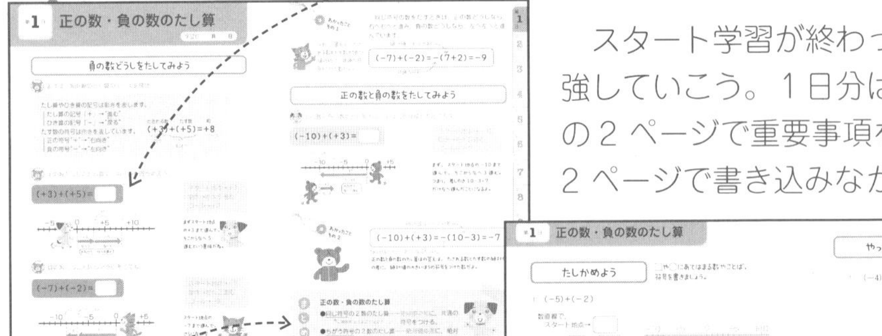

スタート学習が終わったら，項目別に勉強していこう。１日分は４ページで，最初の２ページで重要事項を確認したら，次の２ページで書き込みながら練習ができるよ。

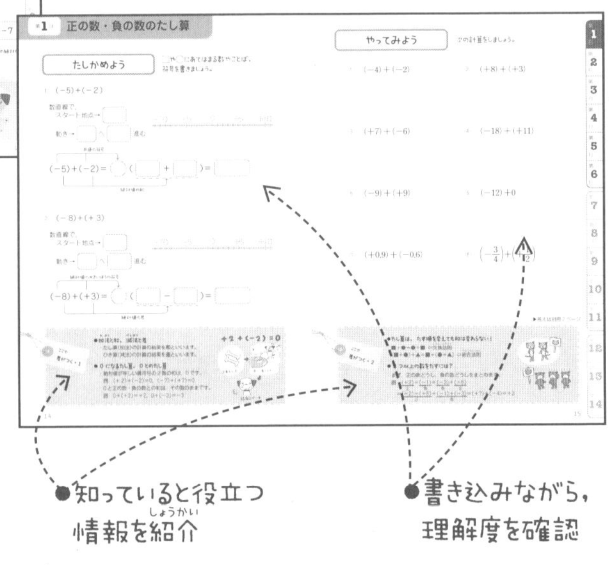

●１日分の大切な内容がわかりやすくまとめてあるよ。

仕上げドリル

各章の最後には「仕上げドリル」があるよ。章のまとめとして，理解度を確認しよう！

●知っていると役立つ情報を紹介

●書き込みながら，理解度を確認

もくじ

※本冊と軽くのりづけされていますので，はずしてお使いください。

フー太

ちょっとマイナス思考で落ちこみやすいけど，数学大好きなやさしい犬。

レイ

たとえ話が好きなネコ。首に巻いたスカーフがトレードマーク。

ベア

いつもたよりになるしっかり者。ナゾの多いことで有名。クマの姿をしているが…。

中学校をのぞいてみよう！

中学校の授業は，小学校とどうちがうの？

01 教科名が変わる

「算数」→「数学」，「体育」→「保健体育」などと名前が変わる教科がいくつかあるよ。

02 教科担任（たんにん）がいる

授業は，それぞれの教科担当の先生が行うよ。だから，時間ごとにちがう先生が教室に来るんだ。

03 ふつう 50 分授業

授業はだいたい 1 日 6 時間あって，1 つの授業の時間はふつう 50 分間なんだ。小学校のときよりも長くなるよ。

04 定期テストがある

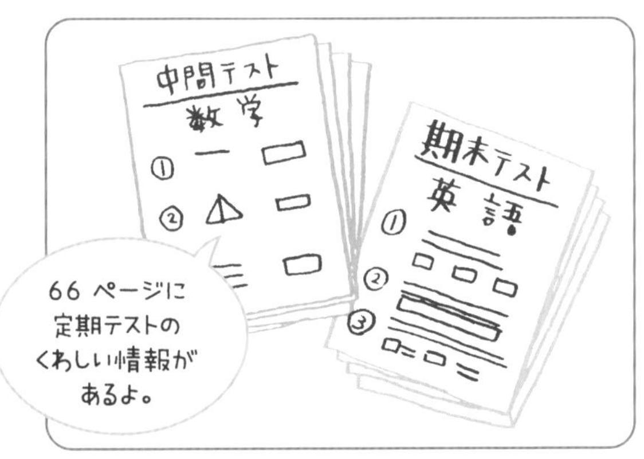

中間テストや期末テストといった，全校いっせいに行われるテスト（定期テスト）が学期ごとにある。それ以外に小テストも行われるよ。

中学校によっては少し異（こと）なるけれど，おもにこの 4 点がちがうんだ！
では，次のページで中学校での数学の授業のようすを見てみよう。

数学の授業はどんなふうに受ければいいの？

中学になると，１回の授業で習う内容も増え，スピードもぐんと上がるよ。ここでは，中学の数学の授業の進み方や受け方を紹介するよ。

中学の数学の授業はこんなふうにすすむよ。

授業スタート！

a×b=ab
先生の解説を聞こう！！

教科書の例題の解説

練習問題を解く

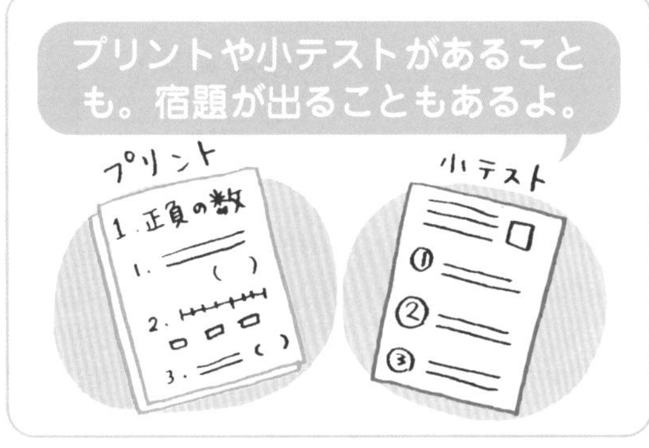

プリントや小テストがあることも。宿題が出ることもあるよ。

先生の話をメモしよう

先生は授業中に問題のくわしい解き方や考え方をたくさん話してくれるよ。先生が教えてくれたことを忘れないためにも，黒板に書かれたことだけでなく，先生の話もメモをとろう！

先生が「ここ，テスト出すよ！」とか「これ重要」と言ったら要注意！メモしておけば，テストできっと役に立つよ。

数学専用のノートをつくろう

授業用に，数学専用のノートを用意しよう！　授業中は教科書とノートを開いて，先生の説明に集中！黒板に書かれたことを書き写すのはもちろんのこと，授業中に解いた問題の計算や先生の言ったこと，自分が気がついたこともどんどん書いておこう。

授業中によいノートがつくれていると，定期テストの勉強もスムーズに進められるよ。

次のページで，ノートの取り方をくわしく解説するよ。

デキる数学ノートはこうつくろう！

数学のノートづくりのカギは，**ゆったりと使う！** こと。

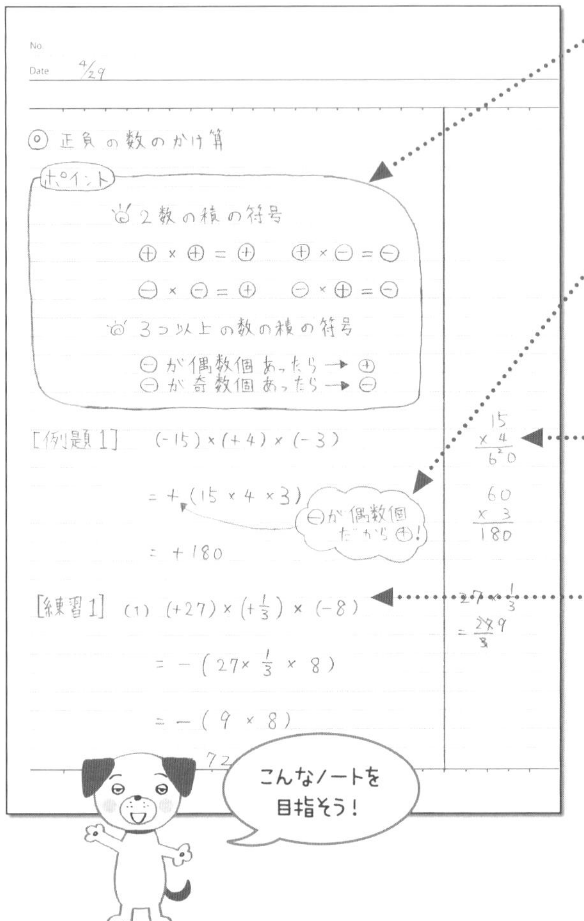

・公式や定理など重要ポイントは目立たせよう！

色ペンを使ったり，線で囲ったりしておこう。

・先生の言ったことをメモしよう！

黒板の解説以外にも，先生は問題のくわしい解き方や考え方を授業中に言ってくれるよ。よく聞いてメモしておけば，理解が深まる！

・あらかじめノートに線を引き，計算スペースをつくっておこう！

ちょっとした計算は，ここでしよう。

・途中(とちゅう)の計算もていねいに。

「計算にノートを使うのはもったいない」，なんて思わずに，計算はゆったりとていねいに書くのがコツ！　どこでまちがえたのかを発見しやすいし，テスト前の見直しにもきっと役立つよ。

算数と数学のちがいって？

算数から数学へと教科名は変わっても，内容がガラリと変わるわけじゃない。中学１年生用の教科書には，比例や図形など，小学校で習ったこともでてくるんだ。

負(ふ)の数や方程式(ほうていしき)など，新しいことも習うけど，数学は算数の内容をさらに深めたものといえるよ。

この本で勉強するキミなら，数学の授業が実際にはじまってもだいじょうぶ！　この本で学んだことが土台となり，きっと好スタートが切れるよ。

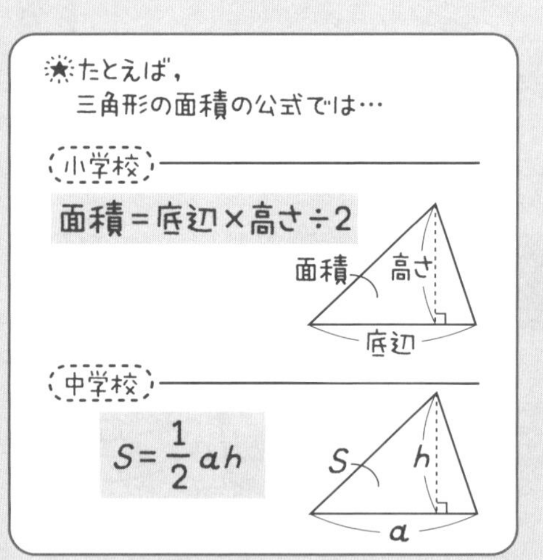

たとえば，
三角形の面積の公式では…
小学校
面積＝底辺×高さ÷2
面積
高さ
底辺
中学校
$S=\frac{1}{2}ah$
S
h
a

第1章 正負の数

おうちの方へ

ここでは，数の範囲を負の数まで広げ，たし算・ひき算・かけ算・わり算の四則の計算の基本を学習します。

スタート学習では0度より低い気温を表すときに用いられるマイナスの記号に目を向けさせ，これをきっかけとして負の数を導入しています。

正負の数の計算については，数直線を利用するなどしてそのしくみをわかりやすく，やさしく解説しています。中学数学の土台となる計算の基礎を，しっかり身につけることができます。

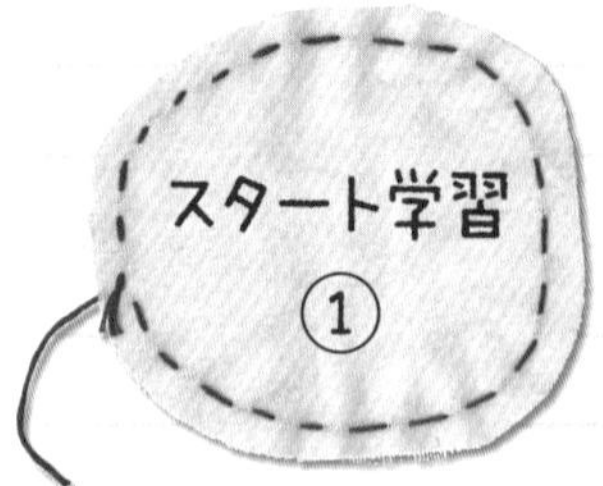

0より小さい数

「正負の数の表し方」「正負の数の大小」

0より小さい数ってどんな数？　表し方や大小について，ここで学ぼう！

1
春なのに寒いなぁ〜。空もどんより…
ピュー
もうすぐぼくの中学の入学式なのに，イヤになっちゃう。
2
わわわ！
温度計が0の目もりより下を指してる！！温度計，こわれちゃったの？
10
0
10
3
フー太くんてば，とことんマイナス思考だなぁ。だいじょうぶ，温度計はこわれてなんかないよ。
え？
ひょこ
4
それじゃあ
何度だっていうの？
5
0より4目もり下を指してるから，「−4度(マイナス4度)」だよ。−4度は0度よりも寒いってわけ。
へー

◎0より大きい数を**正の数**，0より小さい数を**負の数**といいます。

◎正の数には**正の符号＋**をつけて，**＋5**のように，負の数には**負の符号−**をつけて，**−4**のように表します。

◎正の整数を，**自然数**といいます。

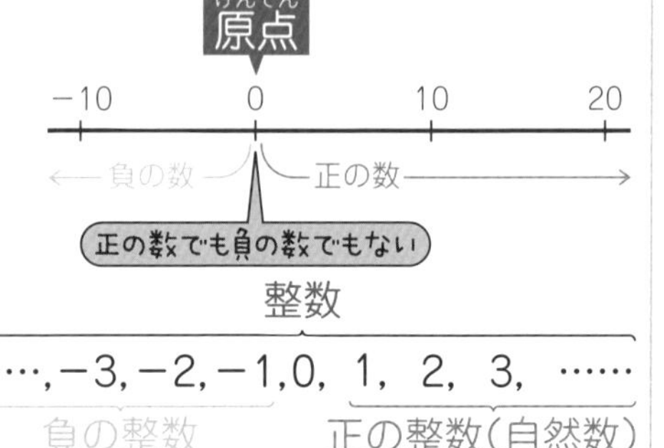

6
中学に入ると「負の整数」っていうのもあるんだね。
7
そういや，フー太くんは温度計の目もりを読むとき，どうやって考える？
たとえば，＋3度と−3度は？
8
＋3度は0から上に目もりを数えて，＋1，＋2，＋3と「目もり3つ分で＋3度」って読んだよ。
＋3
0
0

◎数直線上で，０からある数までの距離（きょり）をその数の絶対値（ぜったいち）といいます。

←どれだけはなれているかを表す数。

−5	−4	−3	−2	−1	0	+1	+2	+3	+4	+5

（−3から0まで3，0から+3まで3）

◎０の絶対値は０です。

絶対値は３

－３　　＋３

ある数の絶対値は，その数から正・負の符号を取り去ったものと考えられます。

そういえばさ，２月には「－１０度」なんて日があったよね。きょうよりずーっと寒かったね。

うん

水たまりがこおってるのに気がつかなくて，フー太くん，すべって転んだこと思い出した…。

つるっ

すってんころりん

そんなマイナスなことばっかり思い出さないでよ！

プンプン

転んだところに500円玉落ちてて，交番に届けたら，おまわりさん「えらいね」ってやきいもくれたじゃん。

そーだった！みんなでやきいも食べたよね～。

KOBAN

わーい

ん？「－10」って絶対値が10で，けさの気温の－４の４より大きいのに「－１０度」のほうが寒いんだね。

＋４度と＋10度なら，＋10度のほうがあたたかいのに！

◎**負の数では，絶対値が大きいほど小さい数**です。
◎正の数では，絶対値が大きいほど大きい数です。

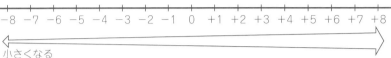

−8　−7　−6　−5　−4　−3　−2　−1　0　+1　+2　+3　+4　+5　+6　+7　+8

小さくなる　　　　大きくなる

◎不等号を使って，正の数，負の数，0 の大小を表すと，
(負の数)＜ 0 ＜(正の数)

19
フー太くん，入学式は
ぼくといっしょに
学校まで行こうよ。
いい
よぉ〜。

20
フー太くんの家は，
ぼくの家から
西へ −2 km のところ
だよね。

21
ちがうよ！
いくらぼくがマイナス思考
だからって，
−2km だなんて〜！
プン
プン
ぼくんちは，
ベアくんの家から
東へ 2km の
ところだよ。

原点
0
西へ −2km ＝ 東へ +2km と同じ
西
学校
東
ベアくんの家
フー太くんの家

22
東と西は反対向きでしょ。
だから，**東が＋なら，西は−**で
表せるんだよ。**「西に − 2km」**は
「東に 2km」と同じなんだよ。

23
へー，そうか！
なんかややこしい
けど，正しいんだね。

24
ところでさ，フー太くんの体重は
ぼくより「− 3kg 重い」って
レイちゃんから聞いたよ。
?
えー！？
ぼくのほうが
ベアくんより
「重い」？？？

◎「東へ⟷西へ」や「重い⟷軽い」のように反対の性質をもつことばは，負の数を使うとどちらか一方のことばだけで表すことができます。

西へ −2km……東へ ＋2km
−3kg 重い……＋3kg 軽い

中学校って，ヘンな言い方
するんだね。
ぼく，だいじょうぶかな。

やってみよう！

次の□にあてはまる数や記号，ことばを書きましょう。

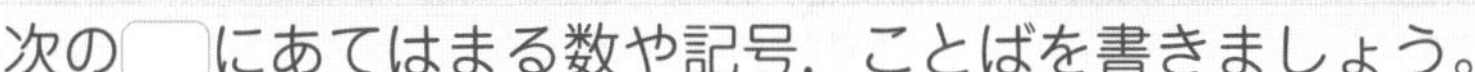

●答えは，このページの下

1

正の数・負の数の表しかた

❶0より9小さい数を，＋(正の符号)または－(負の符号)をつけて表すと，［ア］です。

❷0より12大きい数を，＋または－の符号をつけて表すと，［イ］です。

❸次の数直線の目もりにあたる数を，符号をつけて書きましょう。

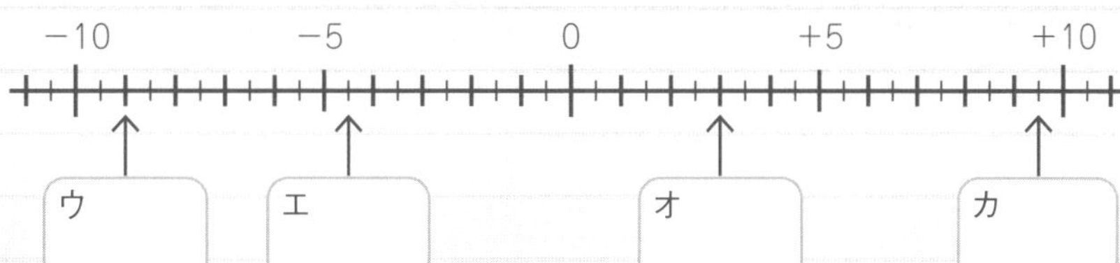

2

絶対値と正負の数の大小

❹絶対値が5の数は［キ］と［ク］です。

❺次の2つの数の大きさをくらべて，不等号(>，<)を書きましょう。

5［ケ］−8　　−7［コ］0

−9［サ］−7　　−0.5［シ］−1

3

正負の数を使った言いかえ

❻「−5cm 短い」ことを負の数を使わないで表すと「5cm［ス］」と表せます。

ヒント

「短い」の反対の意味のことばは「長い」だね。

「やってみよう」の答え

❶ア.−9　❷イ.+12　❸ウ.−9　エ.−4.5　オ.+3　カ.+9.5　❹キ.+5　ク.−5（または，キ.−5　ク.+5）　❺ケ.>　コ.<　サ.<　シ.>　❻ス.長い

第1日　正の数・負の数のたし算

学習日　　月　　日

負の数どうしをたしてみよう

まずは，数直線のたし算のルールを確認！

たし算やひき算の記号は**動き**を表します。

- たし算の記号「＋」→“進む”
- ひき算の記号「－」→“戻る”

たす数の符号は**向き**を表しています。

- 正の符号“＋”→“右向き”
- 負の符号“－”→“左向き”

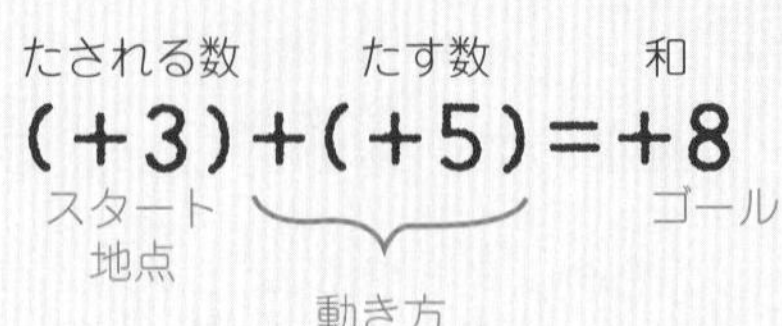

正の数どうしのたし算で，ルールを確かめよう。

(＋3)＋(＋5)＝□

スタート地点→＋3
動き→右へ5進む
ゴール→＋8

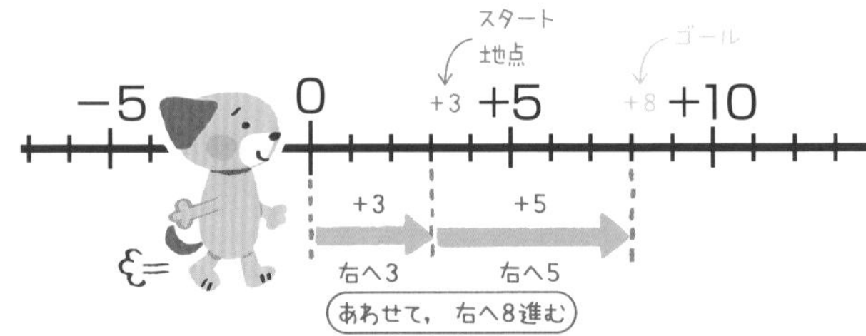

まずスタート地点の＋3まで進んで，そこから右へ5進むという意味だね。

負の数どうしも同じように考えてね。

(－7)＋(－2)＝□

スタート地点→－7
動き→左へ2進む
ゴール→－9

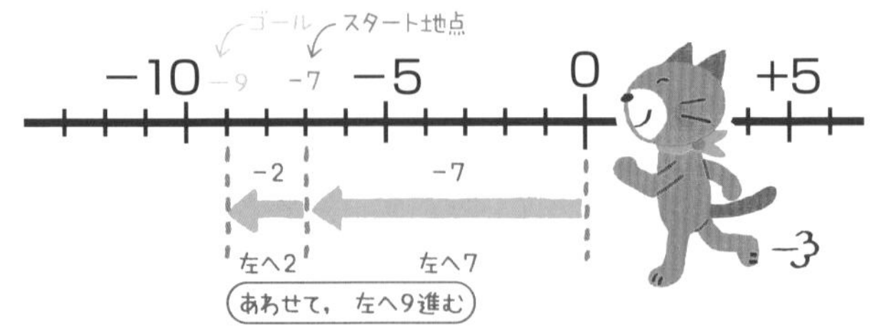

スタート地点の－7まで進んで，さらに左へ2進むことになるよ。

わかったこと その1

同じ符号の数をたすときは，正の数どうしなら，右へ右へと進み，負の数どうしなら，左へ左へと進んでいます。

つまり，答えは，たされる数とたす数の絶対値の和に，共通の符号をつけた数だよ。

絶対値(ぜったいち) 7 と 2 の和

$$(-7)+(-2)=-(7+2)=-9$$

共通の符号

正の数と負の数をたしてみよう

正の数と負の数のたし算も同じように数直線で考えてみよう。

$(-10)+(+3)=$ □

スタート地点→－10
動き→右へ３進む
ゴール→－７

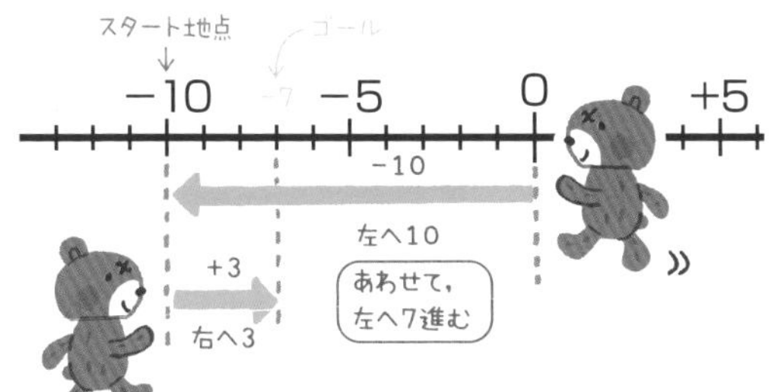

まず，スタート地点の －10 まで進んで，そこから右へ 3 進む。
つまり，差し引き 10－3＝7 だけ左へ進んだことになるよ。

わかったこと その2

絶対値 10 と 3 の差

$$(-10)+(+3)=-(10-3)=-7$$

絶対値の大きいほうの符号をつける

正の数と負の数のたし算の答えは，たされる数とたす数の絶対値の差に，絶対値の大きいほうの符号をつけた数だよ。

まとめ

正の数・負の数のたし算

- 同じ符号の２数のたし算……**絶対値の和**に，共通の符号をつける。
  ↖ 同符号(どうふごう)という
- ちがう符号の２数のたし算……**絶対値の差**に，絶対値の大きいほうの符号をつける。
  ↖ 異符号(いふごう)という

答え…(＋3)＋(＋5)＝＋8，(－7)＋(－2)＝－9，(－10)＋(＋3)＝－7

第1日 正の数・負の数のたし算

たしかめよう

□や○にあてはまる数やことば，符号を書きましょう。

① (−5)+(−2)

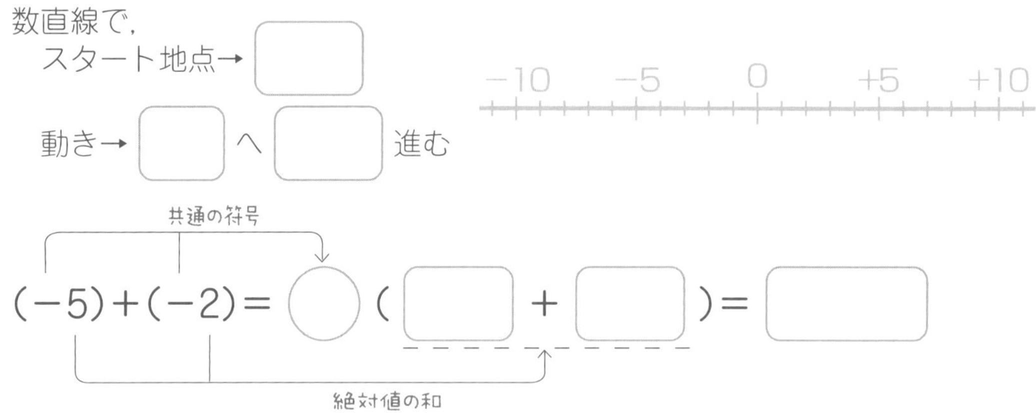

② (− 8)+(+ 3)

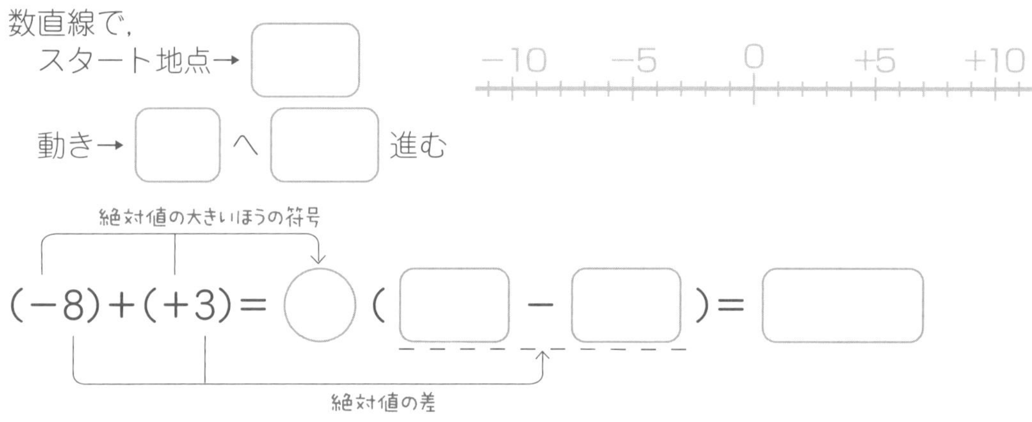

● 加法（かほう）と和，減法（げんぽう）と差
・たし算(加法)の計算の結果を**和**といいます。
・ひき算(減法)の計算の結果を**差**といいます。

● 0 になるたし算，0 とのたし算
・絶対値が等しい異符号の 2 数の和は，0 です。
　例　(＋2)+(−2)=0，(−7)+(+7)=0
・0 と正の数・負の数との和は，その数のままです。
　例　0+(+2)=+2，0+(−3)=−3

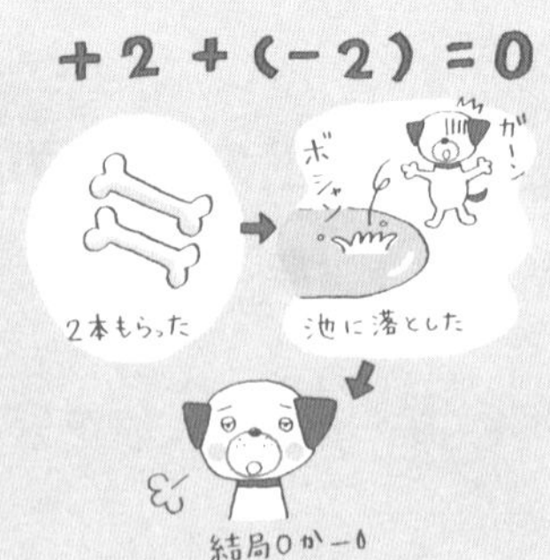

やってみよう

次の計算をしましょう。

① $(-4)+(-2)$

② $(+8)+(+3)$

③ $(+7)+(-6)$

④ $(-18)+(+11)$

⑤ $(-9)+(+9)$

⑥ $(-12)+0$

⑦ $(+0.9)+(-0.6)$

⑧ $\left(-\frac{3}{4}\right)+\left(+\frac{1}{2}\right)$

▶答えは別冊 2 ページ

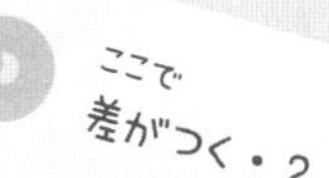

●たし算は，たす順を変えても和は変わらない！

■＋●＝●＋■　⇦交換法則（こうかんほうそく）

（■＋●）＋▲＝■＋（●＋▲）⇦結合法則（けつごうほうそく）

● 3 つ以上の数をたすには？

まず，正の数どうし，負の数どうしをまとめます。

例　$\underset{正}{(+2)}+\underset{負}{(-1)}+\underset{負}{(-3)}+\underset{正}{(+5)}$

$=\underset{正}{(+2)+(+5)}+\underset{負}{(-1)+(-3)}=(+7)+(-4)=+3$

第2日 正の数・負の数のひき算

学習日　　月　　日

正の数から正の数をひいてみよう

正の数から正の数をひいてみよう。
ひき算の記号「−」は数直線で“戻る”という意味だね。

「+5 から+8 をひく」計算を，数直線で考えよう。

(+5)−(+8)=

スタート地点→+5
動き→右向きで 8 戻る
ゴール→−3

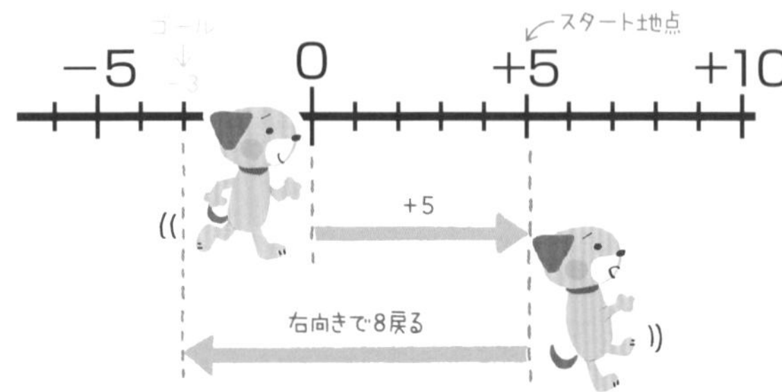

まずスタート地点の+ 5 まで進んで，そこから右向きで 8 戻るという意味だね。

「右向きで 8 戻る」はややこしいので，言い方を考えてみよう。

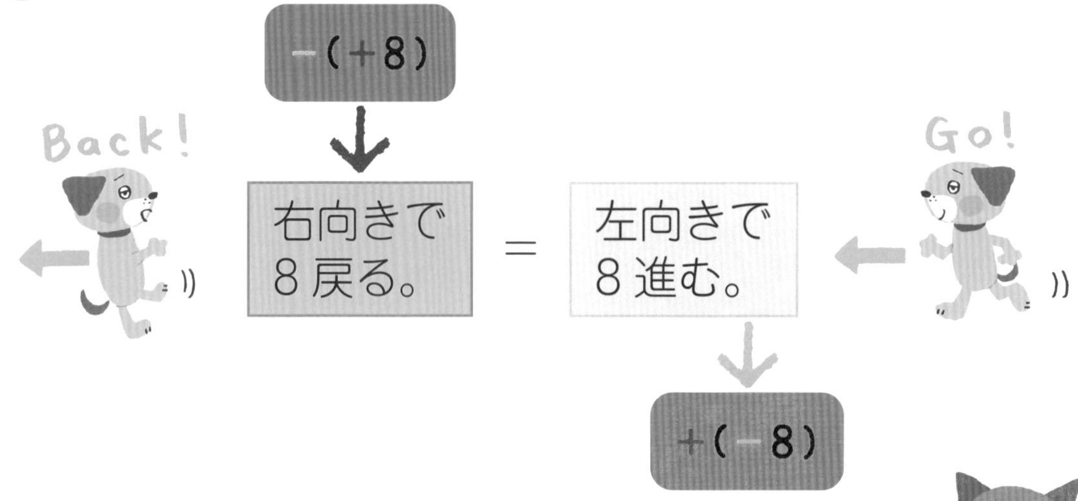

「右向きで 8 戻る」は「左向きで 8 進む」と言いかえることができるね。
「戻る」が「進む」になるから，ひき算がたし算になるということだ！

わかったこと その1

ひき算はたし算に直すことができます。

$$(+5)-(+8)=(+5)+(-8)=-3$$

（たし算に直す／符号を変える）

「+5 から +8 をひく」計算は，
「+5 に −8 をたす」計算と同じなんだね。

正の数から負の数をひいてみよう

負の数をひく計算も，たし算に直してしまおう！

（たし算に直す／符号を変える）

$$(+2)-(-5)=(+2)+(+5)=\square$$

さっきと同じように，ひく数の符号を変えて，たし算にすればいいね

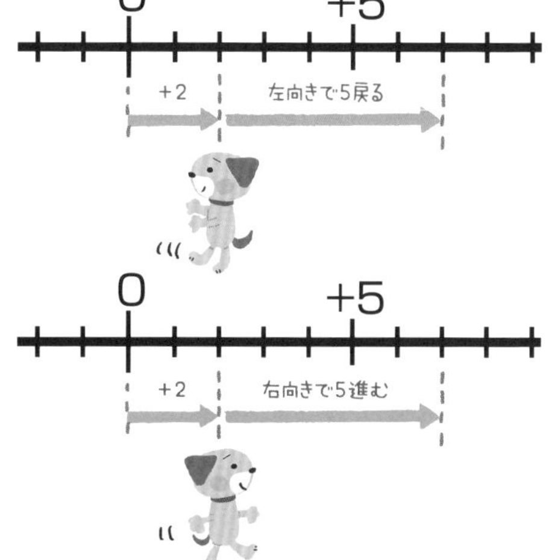

数直線で，「−5 だけ戻る」は
「左向きで 5 戻る」という意味だから，
「右向きで 5 進む」と言いかえられるよ。

つまり，−(−5) は，+(+5) に直せるんだね。

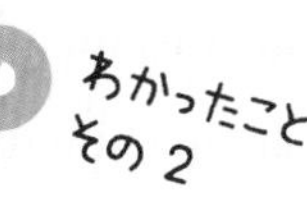

わかったこと その2

負の数をひくこと“−(−■)”は，
正の数に直してたすこと“+(+■)”と同じです。

まとめ

正の数・負の数のひき算

●正の数・負の数のひき算は，ひく数の符号を変えてたすことと同じ。

●符号の変え方のきまり

−(+■)=+(−■)
−(−■)=+(+■)

答え…(+5)−(+8)=−3，(+2)+(+5)=+7

第2日 正の数・負の数のひき算

たしかめよう

□や○にあてはまる数や符号を書きましょう。

① (−5)−(+3)

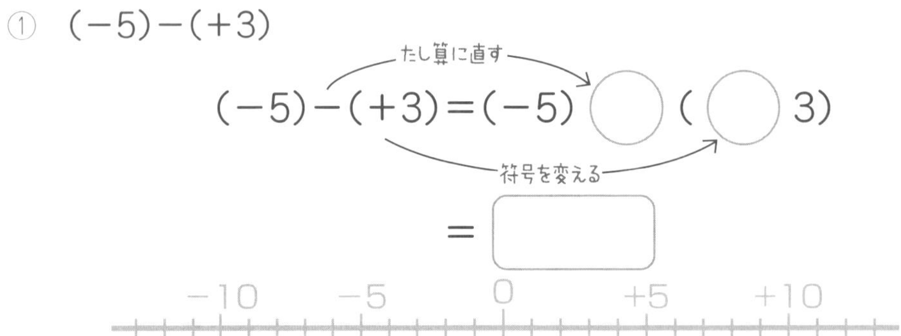

② (−3)−(−9)

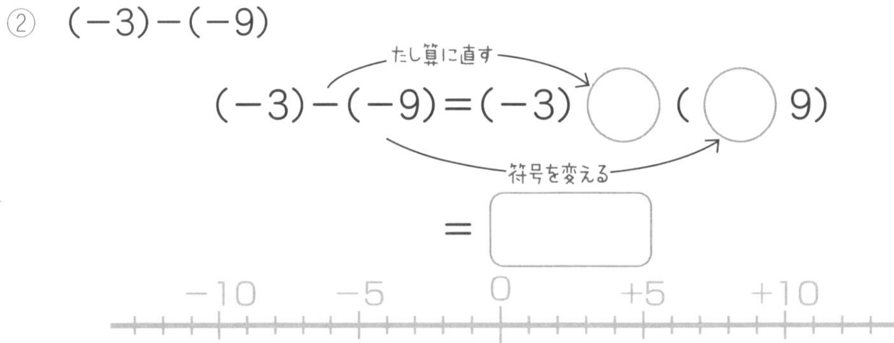

● 0とのひき算

・ある数から0をひくと
→ 差はある数のまま

(+●)−0 = +●
そのまま

(−■)−0 = −■
そのまま

・0からある数をひくと
→ 差はある数の符号を変えた数

0−(+●)= −●
符号を変えた数

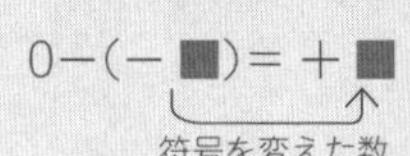

0−(−■)= +■
符号を変えた数

0 −
符号がかわるから着がえなきゃ。
見ちゃダメ！

やってみよう

次の計算をしましょう。

① $(+6)-(-1)$

② $(-7)-(+2)$

③ $(+6)-(+7)$

④ $(+13)-(-5)$

⑤ $(-9)-(-9)$

⑥ $0-(-15)$

⑦ $(+0.3)-(+0.6)$

⑧ $\left(-\frac{1}{2}\right)-\left(+\frac{2}{3}\right)$

▶答えは別冊 2 ページ

●**通分のコツ**　通分するとき，分母の最小公倍数が共通の分母になるようにします。

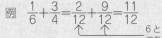

例　$\frac{1}{6}+\frac{3}{4}=\frac{2}{12}+\frac{9}{12}=\frac{11}{12}$

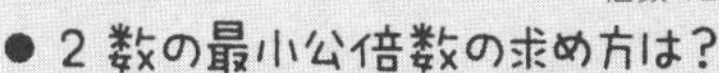

6と4の最小公倍数 12 に通分。

6×4=24 だからといって，分母を 24 にして通分すると，あとで約分しなければならないよ。

●**2 数の最小公倍数の求め方は？**

大きいほうの数の倍数を小さい順に求め，最初に小さいほうの数でわりきれる数が最小公倍数です。

例　8と6の最小公倍数は，8の倍数 → 8，16，24，……

6でわりきれる最初の倍数だから，8と6の最小公倍数は 24

第1日 第2日 第3日 第4日 第5日 第6日 第7日 第8日 第9日 第10日 第11日 第12日 第13日 第14日

第3日 正負の数のたし算・ひき算

学習日　　月　　日

たし算とひき算が混じった計算をしよう

正の数・負の数のひき算はたし算に直して計算したね。
たし算とひき算の混じった計算も，**たし算だけの式に直して計算しよう。**

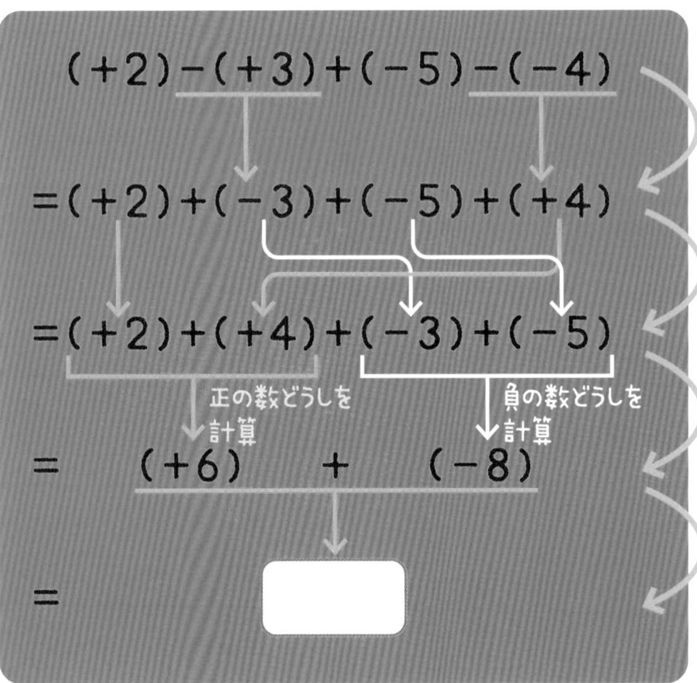

(+2)−(+3)+(−5)−(−4)
=(+2)+(−3)+(−5)+(+4)
=(+2)+(+4)+(−3)+(−5)
正の数どうしを計算
負の数どうしを計算
=　(+6)　+　(−8)
=

たし算だけの式に直す。

正の数，負の数をそれぞれ集める。

正の数，負の数をそれぞれ計算する。

異符号の２数の和を求める。

(+6)+(−8)

=−(8−6)

=□

わかったこと
その1

たし算とひき算が混じっていたら，

① ひき算の部分をたし算に直す。
② 正の数，負の数をそれぞれ集める。
③ 正の数，負の数をそれぞれ計算する。
④ 異符号の２数の計算をする。

ひき算の部分をたし算に直すときの符号の変え方

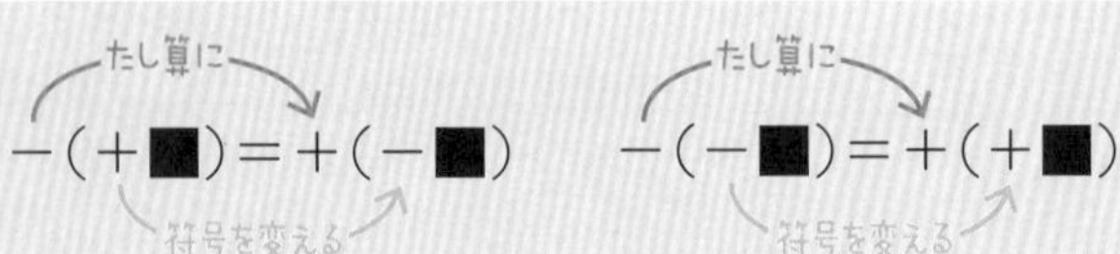

たし算に
−(+■)=+(−■)
符号を変える
たし算に
−(−■)=+(+■)
符号を変える

かっこのない式で計算しよう

たし算だけの式では，加法(かほう)の記号「＋」と「(　)」をはぶいた式で表すことができます。

項　項　項　項

(+2)+(−3)+(−5)+(+4)

＝+2−3−5+4

かっこのない式は項だけを並べた式

式のはじめの「＋」は省略して，2−3−5+4 と書いてもよい。

加法だけの式で，＋で結ばれた各数（+2，−3，−5，+4）を「項(こう)」というよ。また，+2 や+4 を「正(せい)の項(こう)」，−3 や−5 を「負(ふ)の項(こう)」というんだ！

次の式を，かっこのない式に直して計算しよう。

3+(−5)−(+6)−(−2)

たし算（加法）だけの式に直す。

＝(+3)+(−5)+(−6)+(+2)

かっこのない式に直す。

＝+3−5−6+2

正の項，負の項をそれぞれ集める。

＝+3+2−5−6

正の項，負の項をそれぞれ計算する。

＝+5−11

(+5)+(−11) と同じ

2 数の和を求める。

＝□

まちがえそうなら，慣れるまでは次のように（　）をつけたまま計算してもいいよ。

(+3)+(−5)+(−6)+(+2)

＝(+3)+(+2)+(−5)+(−6)

＝(+5)+(−11)

＝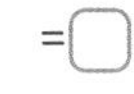

わかったこと その 2

かっこのない式に直したら，正の項どうし，負の項どうしをまとめます。

まとめ

加減の混じった計算のしかた

①ひく数の符号を変えて，たし算（加法）だけの式に直す。
②かっこのない式に直す。
③正の項どうし，負の項どうしをそれぞれ計算する。
④異符号の 2 数の和を求める。

答え…(+6)+(−8)=−2，+5−11=−6

正負の数のたし算・ひき算

たしかめよう

□にあてはまる数を書きましょう。

① (+8) − (+4) − (−2) + (−3)

＝(+8)+(□)+(□)+(−3)

正の項　負の項　正の項　負の項

＝(+8)+(□)+(□)+(−3)

正の項の和　負の項の和

＝ (+10) + (□)

＝ □

+で結ばれた1つ1つの数が項だから，

正の項は

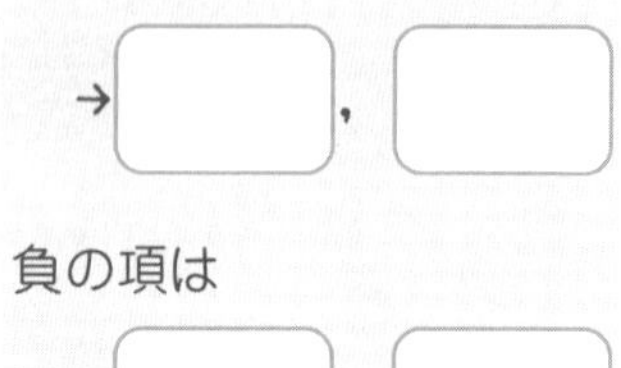

負の項は

→□，□

② 次の式を，かっこをはぶいた式に直して計算しましょう。

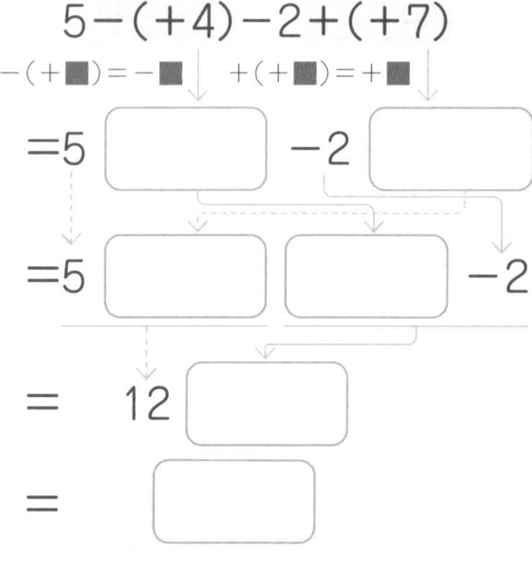

かっこをはずす。

正の項，負の項をそれぞれ集める。

正の項，負の項をそれぞれ計算する。

2 数の計算をする。

ここで差がつく・1

●かっこのはずし方

+(　)は，そのままはずし，−(　)は，かっこの中の符号を変えてはずします。

+(+■)＝+■
+(−■)＝−■
−(+■)＝−■
−(−■)＝+■

●くふうして計算しよう！

項の並べ方をくふうすると，計算がかんたんになることがあります。

例　+10−5−10+2

＝+10−10−5+2

＝0−5+2＝−3

やってみよう

次の計算をしましょう。

① $(+3)+(-4)-(-6)$

② $(-1)-(+3)-(-5)$

③ $8-15$

④ $-7-9$

⑤ $8-3+2$

⑥ $-2+5+4-11$

⑦ $3+(-8)-12-(-14)$

⑧ $-1.5+(-0.8)-(-1.3)-1.1$

▶答えは別冊 3 ページ

●かっこのない式の項の見分け方は？

＋，－の前で区切ると，区切られた１つ１つが項です。

例　$-5+2-7+9$（項 項 項 項）

$=+2+9-5-7$

$=+11-12$

$=-1$

$(-5)+(+2)+(-7)+(+9)$

＋，－の前で区切ると，かっこと加法の記号＋がはぶかれていることがよくわかるね。

第4日

正負の数のかけ算

学習日　　月　　日

2数のかけ算の符号のきまりをおぼえよう

符号（ふごう）に注目すると，正負（せいふ）の 2 数のかけ算には次の 4 通りの場合があるよ。答えの符号のきまりをおぼえよう。

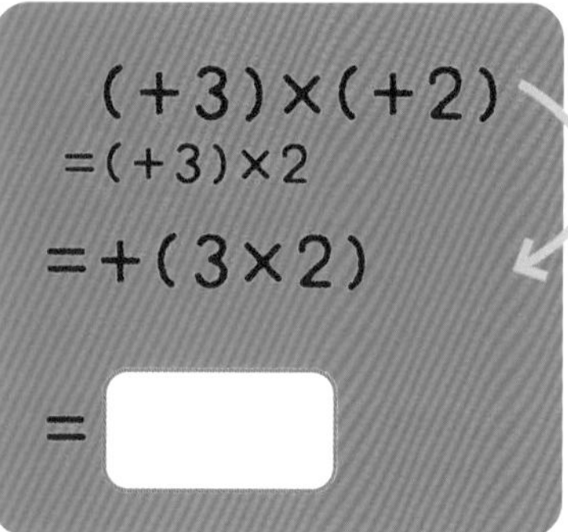

$(+3)\times(+2)$
$=(+3)\times2$
$=+(3\times2)$
$=$ □

+3 の符号はそのままで 2 をかける。

$(+3)\times(-2)$
$=(-3)\times2$
$=-(3\times2)$
$=$ □

+3 の符号を変えて 2 をかける。

+の反対は −か……。

$(-2)\times(+4)$
$=(-2)\times4$
$=-(2\times4)$
$=$ □

−2 の符号はそのままで 4 をかける。

$(-2)\times(-4)$
$=(+2)\times4$
$=+(2\times4)$
$=$ □

−2 の符号を変えて 4 をかける。

正の数をかける
→かけられる数の符号はそのまま

負の数をかける
→かけられる数の符号を変える

わかったこと その 1

符号に注意すれば，あとは小学校の計算と同じなんだね。

正 × 正 ＝ 正
負 × 負 ＝ 正

符号が同じ 2 数のかけ算では，答え（積）の符号は正になります。

正 × 負 ＝ 負
負 × 正 ＝ 負

符号がちがう 2 数のかけ算では，答え（積）の符号は負になります。

3つ以上の正負の数をかけよう

2数のかけ算のきまりを利用して，負の数を2個，3個，…とかけ合わせたときの答え(積)の符号を調べよう。

$(-2)\times(+3)\times(+1)\times(+2)=-12$ ……負の数が1個
負 × 正 ⟶ 負

$(-2)\times(-3)\times(+1)\times(+2)=+12$ ……負の数が2個
正 × 正 ⟶ 正

負の数の個数に目をつけるんだね。

$(-2)\times(-3)\times(-1)\times(+2)=-12$ ……負の数が3個
正 × 負 ⟶ 負

$(-2)\times(-3)\times(-1)\times(-2)=$ □ ……負の数が4個
正 × 正 ⟶ 正

符号の決め方のルールがわかってきたよ。

わかったこと その2

負の数が1個，3個あるとき，積の符号は「－」です。
← 奇数個

負の数が2個，4個あるとき，積の符号は「＋」です。
← 偶数個

累乗って？

同じ数をいくつかかけたものを累乗というよ。
5×5は，5^2と表し，「5の2乗」と読むんだ。
$(-2)^3$は，$(-2)\times(-2)\times(-2)$のことだよ。

右かたの小さい2や3を指数というよ。

5^2 ← 指数
読み方：5の2乗

まとめ

●2数の積

・同符号の2数の積……絶対値の積に「＋」をつける。
・異符号の2数の積……絶対値の積に「－」をつける。

●3つ以上の数の積

絶対値の積に，
・負の数が偶数個ならば「＋」をつける。
・負の数が奇数個ならば，「－」をつける。

答え…＋(3×2)＝＋6，－(3×2)＝－6，－(2×4)＝－8，＋(2×4)＝＋8，＋12…負の数が4個

第4日 正負の数のかけ算

たしかめよう

□や○にあてはまる数や符号を書きましょう。

① $(+4)\times(-3)$

この2数は(同・異)符号だから，積の符号は → ○

↑正しいほうに○

$=$ ○ $(4\times3)=$ □

② $(-2)\times(+3)\times(-1)\times(-5)$

負の数が □ 個あるから，積の符号は → ○

$=$ ○ $(2\times3\times1\times5)=$ □

③ $(-2)^4$

式の意味は，□ を4個かけ合わせたものだから，

指数を使わないで表すと，

$(-2)^4=($ □ $)\times($ □ $)\times($ □ $)\times($ □ $)$

$=$ ○ $(2\times2\times2\times2)$

$=$ □

●乗法と積，除法と商

・かけ算(乗法)の計算の結果を**積**といいます。
・わり算(除法)の計算の結果を**商**といいます。

● 0とのかけ算の答え（積）は，いつも 0

どんな数に0をかけても，0にどんな数をかけても，積は0になります。

例　$(-5)\times0=0$，$0\times(-3)=0$

やってみよう

次の計算をしましょう。

① $(-2)\times(-5)$

② $(+6)\times(-2)$

③ $(+0.5)\times(-3)$

④ $\left(+\frac{1}{3}\right)\times\left(+\frac{1}{2}\right)$

⑤ $(-3)\times(-4)\times(+2)$

⑥ $(+2)\times(-1)\times(+7)\times(+3)$

⑦ 3^2

⑧ $(-5)^3$

▶答えは別冊 3 ページ

●正の数の＋の符号は省略できる！

例　$(+2)\times(-3)\times(+4)\times(-5) \rightarrow 2\times(-3)\times4\times(-5)$

●かけ算は，かける順を変えても積は変わらない！

■×●＝●×■　⇦交換法則（こうかんほうそく）　(■×●)×▲＝■×(●×▲)　⇦結合法則（けつごうほうそく）

●指数の位置に注意しよう！

$(-3)^2=(-3)\times(-3)=+9$　↑ −3 の 2 乗

$-3^2=-3\times3=-9$　↑ 3 の 2 乗に「−」をつけたもの

第5日 正負の数のわり算

学習日　　月　　日

2数のわり算の符号のきまりをおぼえよう

わり算も，かけ算と同じように，答えの符号(ふごう)を決めて計算しよう。

$(+6)\div(+3)=+(6\div3)=$ □

$(-6)\div(-3)=+(6\div3)=$ □

同じ符号の数どうしだから，答え（商）の符号は正(せい)だよ。

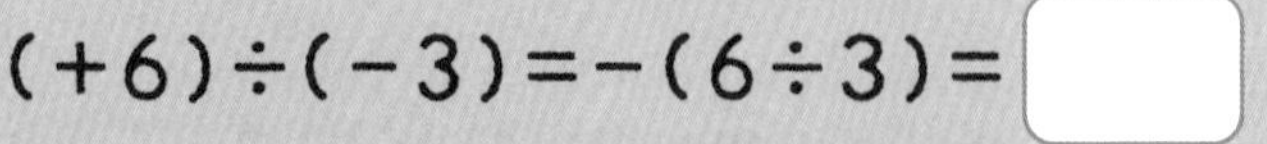

$(+6)\div(-3)=-(6\div3)=$ □

$(-6)\div(+3)=-(6\div3)=$ □

ちがう符号の数どうしだから，答え（商）の符号は負(ふ)だね。

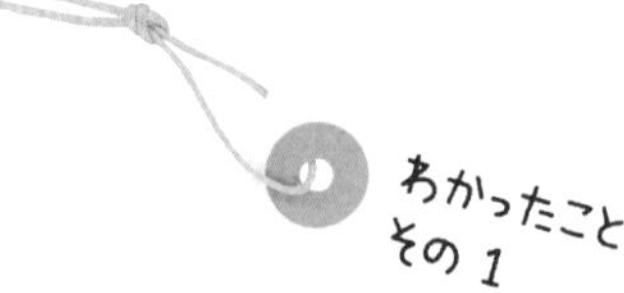

正 ÷ 正 ＝ 正
負 ÷ 負 ＝ 正

符号が同じ2数のわり算では，答え(商)の符号は正になります。

正 ÷ 負 ＝ 負
負 ÷ 正 ＝ 負

符号がちがう2数のわり算では，答え(商)の符号は負になります。

符号のきまりは，かけ算と同じだね！

負の数をふくむ分数のわり算をしよう

分数でわる計算は，わる分数の逆数(ぎゃくすう)をつくってかけ算に直して計算するんだったよね。

$$\frac{1}{5}\div\frac{2}{3}=\frac{1}{5}\times\frac{\square}{\square}=\frac{3}{10}$$

小学校で習う計算だね。

ここで負の数の逆数について考えよう。

負の数の逆数は？

２つの数の積が１であるとき，一方の数を他方の数の**逆数**といいます。
負の数の逆数は，符号はそのままで，分母と分子を入れかえた数です。

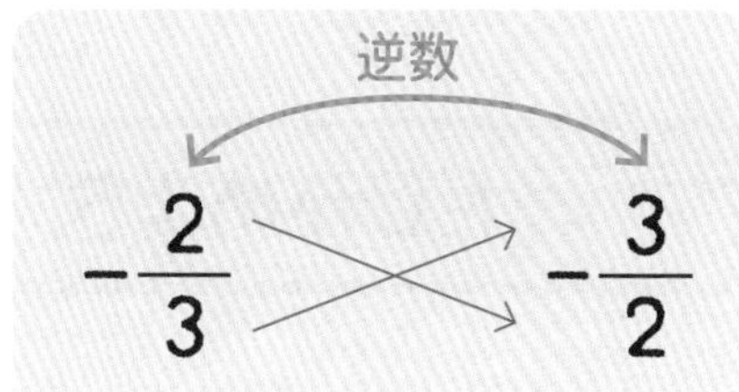

逆数
$-\frac{2}{3}$
$-\frac{3}{2}$

逆数がわかったところで，負の数をふくむ分数のわり算をしてみよう。正の数どうしの計算と同じように，逆数をつくってかけ算に直すよ。

$$\left(+\frac{1}{5}\right)\div\left(-\frac{2}{3}\right)$$
$$=\left(+\frac{1}{5}\right)\times\left(-\frac{3}{2}\right)$$
$$=-\left(\frac{1}{5}\times\frac{3}{2}\right)=\square$$

逆数をつくってかけ算に直す。

わり算がかけ算に
なっちゃうなんて
ウレシイな～♡

わかったこと
その２

逆数の符号はもとの数と同じです。
負の数をふくむ分数のわり算は，わる数の逆数をかけるかけ算に直して計算します。

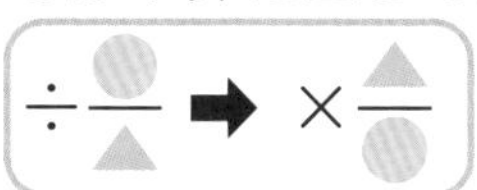

÷ ● / ▲ ➡ × ▲ / ●

小学校と同じだね。
中学では符号に
注意すればいいね。

まとめ

● **２数の商**

・**同符号**(どうふごう)の２数の商は，**絶対値**(ぜったいち)**の商に「＋」**をつける。
・**異符号**(いふごう)の２数の商は，**絶対値の商に「－」**をつける。

● **わり算と逆数**

ある数で**わること**は，その**逆数をかけること**と同じ。
注　逆数の符号は，もとの数と同じです。
※分数のわり算は，わる数の逆数をかけるかけ算に直して計算する。

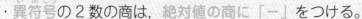

答え…＋(6÷3)＝＋2，＋(6÷3)＝＋2，－(6÷3)＝－2，－(6÷3)＝－2，　$\frac{1}{5}\times\frac{3}{2}$，$-\left(\frac{1}{5}\times\frac{3}{2}\right)=-\frac{3}{10}$

第5日 正負の数のわり算

たしかめよう

□や○にあてはまる数や符号を書きましょう。

① $(+12)\div(-4)$

この2数は（同・異）符号だから，商の符号は → ○

↑正しいほうに○

$=$ ○ $(12\div4)=$ □

② 次の数の逆数を求めましょう。

$\frac{3}{7}\rightarrow$ □　　$-\frac{1}{4}\rightarrow$ □

③ $\left(-\frac{3}{4}\right)\div\left(-\frac{2}{5}\right)$

わる数 □ の逆数は □ だから，

わる数の逆数をかけるかけ算に直すと，

$\left(-\frac{3}{4}\right)\div\left(-\frac{2}{5}\right)=\left(-\frac{3}{4}\right)\times\left(\ \square\ \right)$

絶対値の積は，

$\frac{3}{4}\times\frac{5}{2}=\frac{15}{8}$

2数は同符号だから，積の符号は＋

中学校では，帯分数に直さないで，仮分数のままにしておくよ。

● 0をどんな数でわっても，商は0

例　$0\div2=0$，$0\div(-3)=0$

なお，ある数を0でわることはできません。

●わりきれないわり算は，分数のまま答えよう。

例　$3\div(-7)=-(3\div7)=-\frac{3}{7}$

やってみよう

次の計算をしましょう。

① $(+15)\div(-5)$

② $(-16)\div(-4)$

③ $12\div(-3)$

④ $(-1.8)\div 0.9$

⑤ $\left(+\frac{1}{3}\right)\div\left(+\frac{1}{2}\right)$

⑥ $\left(+\frac{1}{2}\right)\div\left(-\frac{3}{5}\right)$

⑦ $-8\div\left(-\frac{2}{3}\right)$

⑧ $(-21)\div\frac{3}{7}$

▶答えは別冊 4 ページ

●**整数の逆数のつくり方は？**

整数は，分母が 1 の分数と考えて逆数をつくります。

例　$-4=-\frac{4}{1}$　⇨逆数⇨　$-\frac{1}{4}$

したがって，整数でわるわり算も，逆数をかけるかけ算に直すことができます。

例　$12\div(-4)=12\times\left(-\frac{1}{4}\right)$

●**小数の逆数のつくり方は？**

小数は分数に直して逆数をつくります。

例　$-0.4=-\frac{4}{10}=-\frac{2}{5}$

⇨逆数⇨　$-\frac{5}{2}$

例　$-1.3=-\frac{13}{10}$　⇨逆数⇨　$-\frac{10}{13}$

第6日 いろいろな計算に挑戦！

学習日　　月　　日

かけ算とわり算の混じった計算をしよう

わり算はかけ算に直すことができるので，かけ算とわり算の混じった計算は，かけ算だけの式に直して計算しよう。

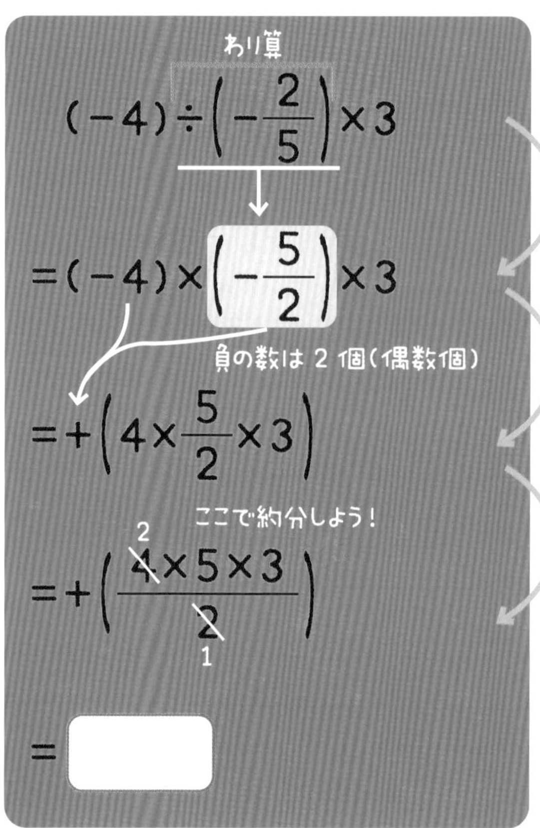

わり算
$(-4)\div\left(-\frac{2}{5}\right)\times3$
$=(-4)\times\left(-\frac{5}{2}\right)\times3$
負の数は 2 個（偶数個）
$=+\left(4\times\frac{5}{2}\times3\right)$
ここで約分しよう！
$=+\left(\frac{\overset{2}{\cancel{4}}\times5\times3}{\underset{1}{\cancel{2}}}\right)$
$=$

わり算は，逆数をつくってかけ算だけの式に直す。

$\div\frac{●}{▲}\rightarrow\times\frac{▲}{●}$

符号を決める。
- 負の数が偶数個→「＋」
- 負の数が奇数個→「－」

絶対値の計算をする。

負の数が混じっていても，答えの符号にさえ注意すれば，小学校の分数の計算と変わらないんだね。

かけ算（乗法）とわり算（除法）の混じった計算では，

① わり算の部分をかけ算に直します。
② 負の数の個数から，答えの符号を決めます。
③ 絶対値の計算をします。

四則の混じった計算をしよう

四則(しそく)とは加法(かほう)・減法(げんほう)・乗法・除法，つまり，たし算・ひき算・かけ算・わり算のことです。加法・減法・乗法・除法の混じった計算は，**乗法・除法→加法・減法**の順に計算するよ。

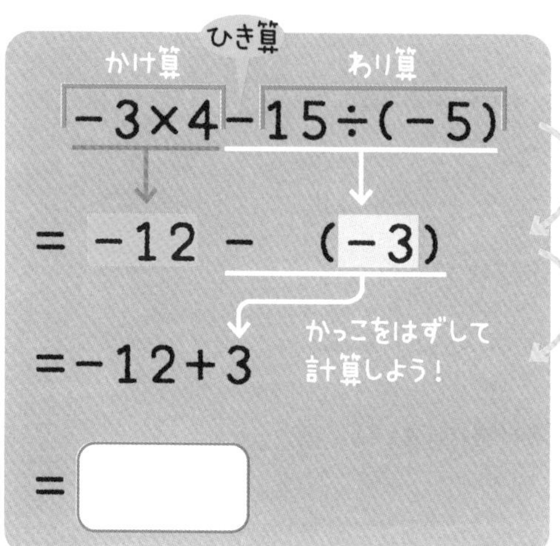

かけ算
ひき算
わり算
−3×4−15÷(−5)
=−12 − (−3)
=−12+3
かっこをはずして計算しよう！
=

かけ算・わり算を先に計算する。

ひき算を計算する。

かっこや累乗(るいじょう)のある式では，**かっこの中・累乗を先に計算**するよ。

$4^2\div(4-6)$

累乗　かっこの中

$=16\div(-2)$

$=$ □

かっこの中・累乗を先に計算する。

わり算を計算する。

加減と乗除が混じった計算では，乗除 → 加減の順に計算します。かっこや累乗があれば最初に計算します。

まとめ

●乗除の混じった計算…わる数の逆数をかけて，乗法だけの式に直して計算する。

●四則の混じった計算…（　）・累乗 ➡ ×・÷ ➡ ＋・－ の順に計算する。

答え…$+\left(\frac{4\times5\times3}{2}\right)=+30$，$-12+3=-9$，$16\div(-2)=-8$

第6日 いろいろな計算に挑戦！

たしかめよう

□や○にあてはまる数や符号を書きましょう。

① $\frac{2}{3}\times10\div\left(-\frac{5}{6}\right)$

$=\frac{2}{3}\times10\times(\square)$　　かけ算だけの式に直す。

$=\bigcirc\left(\frac{2}{3}\times10\times\frac{6}{5}\right)$　　符号を決める。

$=-\frac{2\times10\times6}{3\times5}$　　絶対値の計算をする。

$=\square$

② $-6\div(2-4)-5^2$

$=-6\div(\square)-\square$　　かっこの中・累乗を計算する。

$=\square-\square$　　わり算を計算する。

$=\square$　　ひき算を計算する。

ここで差がつく・1

●正負の数も，分配法則が使える！

分配法則を使うと，下のように計算がかんたんになることがあります。

例 $\left(\frac{1}{4}-\frac{2}{3}\right)\times12=\frac{1}{4}\times12-\frac{2}{3}\times12$

$=3-8$

$=-5$

●小数は分数に直して計算しよう。

例 $30-12\div0.3=30-12\div\frac{3}{10}$

$=30-12\times\frac{10}{3}$

$=30-40$

$=-10$

やってみよう

次の計算をしましょう。

① $5 \div (-6) \times 12$

② $\left(-\dfrac{1}{2}\right) \times 4 \div \left(-\dfrac{2}{3}\right)$

③ $8-6 \div 2+3$

④ $(-3) \times 4-5 \times (-2)$

⑤ $4 \div (-0.5)-6 \times \dfrac{1}{3}$

⑥ $5-3 \times (4-7)$

⑦ $(-2)^3+(-4) \times 5$

⑧ $8 \div (-2^2) \times (5-8)$

▶答えは別冊 4 ページ

●素因数分解（そいんすうぶんかい）をおぼえよう！

1 とその数のほかに約数がない自然数（しぜんすう）を**素数**（そすう）といいます。ただし，1 は素数に含めません。

例　2，3，5，7，11，13

自然数を素数だけの積で表すことを，**素因数分解**といいます。

例　$90=2 \times 3 \times 3 \times 5$
　　$=2 \times 3^2 \times 5$

右のように，小さい素数から順にわっていくよ！

```
2 ) 9 0
3 ) 4 5
3 ) 1 5
      5
```

第1日 第2日 第3日 第4日 第5日 第6日 第7日 第8日 第9日 第10日 第11日 第12日 第13日 第14日

1章 正負の数

仕上げドリル

範囲：第1日～第6日
解答：別冊 p.5

中学校で最初に勉強する正の数・負の数をまとめたドリルだよ。ちゃんと覚えたか，たしかめよう！

1 数直線上に，次の点をかきましょう。 第1日

1つ3点 12点

$+2$　　-6　　-3.5　　$-\frac{1}{2}$

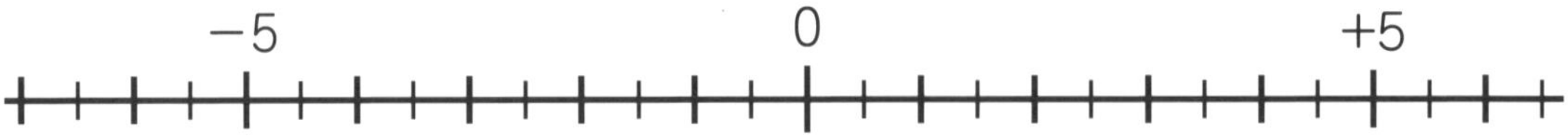

2 次の計算をしましょう。 第1日～第5日

1つ6点 60点

① $(+8)+(-6)$ 　　　　（　　　　）

② $(+6)-(+11)$ 　　　　（　　　　）

③ $(-4)-(-9)+(-8)$ 　　　　（　　　　）

④ $-7+3-8$ 　　　　（　　　　）

⑤ $11+(-9)-3+4$ 　　　　（　　　　）

⑥ $(+3)\times(-7)$ 　　　　（　　　　）

⑦ $(+5)\times(-6)\times(-2)$

⑧ $(+7)\times(-3)\times(-1)\times(-4)$

(　　　)　　(　　　)

⑨ $(-12)\div(-2)$

⑩ 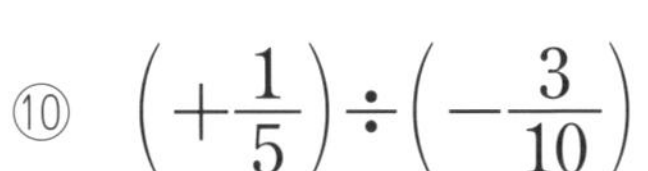
$\left(+\frac{1}{5}\right)\div\left(-\frac{3}{10}\right)$

(　　　)　　(　　　)

3 次の計算をしましょう。 第6日

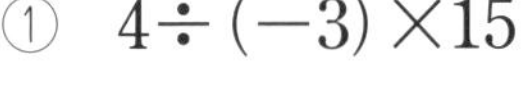
① $4\div(-3)\times15$

② $8\times\left(-\frac{1}{2}\right)-6\div\left(-\frac{1}{3}\right)$

(　　　)　　(　　　)

③ $15-2\times(4-9)$

④ $(-3)^2\div(5-8)-6$

(　　　)　　(　　　)

どれだけできたかな？
できなかった問題は
答えの解説を読んでおこう！

得点

/100点

数学マスターになるには？

中学校で数学を得意にするには，ふだんからどんな勉強をしたらいいのかな。中学校でゼッタイ数学をモノにする勉強のポイントを 3 つ紹介(しょうかい)するよ。

01 授業をしっかり聞く

学校の勉強の基本はやっぱり毎日の授業！「授業中のがんばり」こそが数学マスターへの近道だよ！

先生が説明したことや黒板に書いたことをきちんとノートに記録し,「解き方」や「考え方」を授業中に理解しよう！

友達とのおしゃべりは,ガマンしようね！

02 わからないことはすぐに調べる，質問する

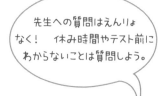

先生への質問はえんりょなく！　休み時間やテスト前にわからないことは質問しよう。

数学は「積み上げ教科」なので，わからないことをそのままにしておくと，次の授業内容がわからない，ってことになりかねない。だから，わからないことがあるときは，そのままにせず，その場その場で解決していくことが大切なんだよ。

わからないことが見つかったら…

- 教科書やノートを見直す。
- 学校の先生に質問する。
- 参考書で調べる。（→ p.86 ～ 87 も見てね。）

03 たくさん問題を解く

スポーツや楽器は，い～っぱい練習するほどじょうずになるよね。数学の勉強も同じで，たくさん問題を解けば，そのぶん数学の力がメキメキつくよ。それに，中学でも計算力はやっぱり大事！　速く正確に計算できるようになれば，数学マスターへの道も近い！

教科書や授業でやった問題を，カンペキに解けるようになるまでくり返し練習するだけで，十分力がつくよ！

第2章 文字と式

おうちの方へ

　ここではまず，スタート学習の買い物の場面を通じて，数量の関係や法則などを文字を用いて表すことや，文字を用いることのよさについて学習します。

　次に文字式における乗法（かけ算），除法（わり算）の表し方を学習し，式を簡潔に表現できるようにしたら，最後に簡単な文字式の計算の仕方を学習していきます。文字式の計算は，次に学習する「方程式」を解くときに必要になりますが，簡単なものからスモールステップでていねいに解説していますので，無理なく身につけることができます。

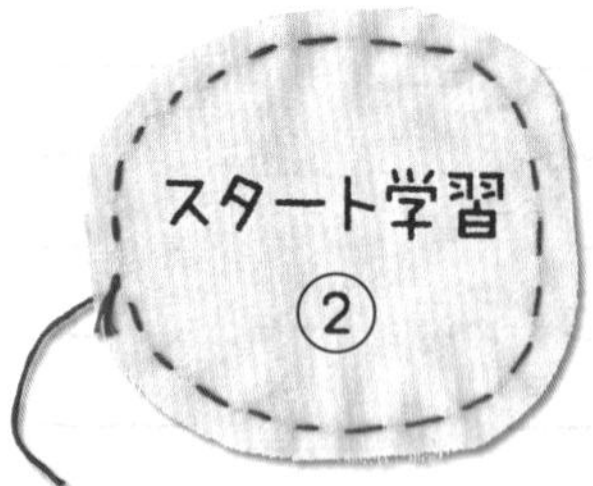

文字を使った式

「文字の利用」「文字式に数をあてはめる」

文字を使った式はどんなところがべんりなの？　文字を使った式の基本を，ここで学ぼう！

1
パン屋さんにて
〈きょうの特売〉
クロワッサン
2 個目からは
10 円値引きします。

2
いらっしゃいませ。
きょうはクロワッサンがお買い得だよ。
やあ
1 個……　70 円
2 個……130 円

3
レイちゃん，お店番してる。えらいなぁ。あれ，その表はなあに？

1 個……　70 円
2 個……130 円
3 個……190 円
4 個……250 円
5 個……310 円

4
クロワッサンは 1 個 70 円なんだ。でも，2 個買った人は，2 個目は 10 円おまけするの。3 個目も，4 個目も 10 円おまけ。
計算がめんどうなので表に書いてもらったの。
ねこパン

5
クロワッサンください。
9 個！

6
9 個は値段がわからないから，5 個にしてください。
あと 4 個ほしいな。5 個と 4 個を買うといくらなの？
ねこパン

7
1 個……　70 円
2 個……130 円
3 個……190 円
4 個……250 円
5 個……310 円
5 個で 310 円
4 個で 250 円
だから，合わせて，
えーと… 560 円！
ホント？
ちゃんと計算したほうがいいんじゃ…？
う～ん

8
70 円　60 円 → 70+60＝130円
70 円　60 円　60 円 → 70+60×2＝190円
70 円　60 円　60 円　60 円 → 70+60×3＝250円
ふーっ！ こんなんじゃ大変だ！
ねこパン

何個でも，
値段がわかる
方法はないの？
小学校のときに使った
a とか b とか
x とか y とか
文字で式を表してみれば
いいんじゃないの…。
この x のところに
買いたい数を
あてはめれば
さっきのちがってる！
560 円って言ったよ。
ねこパン
9 個の代金は，x に 9 をあてはめて，
6 個のとき 70+60×5(円)で，5 はパンの個数より 1 少ない。
7 個のとき 70+60×6(円)で，6 はパンの個数より 1 少ない。
パンの個数を x 個とすると，
70＋60×(x－1)円
と表すことができるね。

たくさん買うんだから
もっとおまけしてよ。
500 円じゃダメ？
ダメでーす！

◎文字を使った式は，数量の関係をすっきりと表すことができます。
◎文字を使った式の文字に数をあてはめると，代金の合計などがラクに求められます。

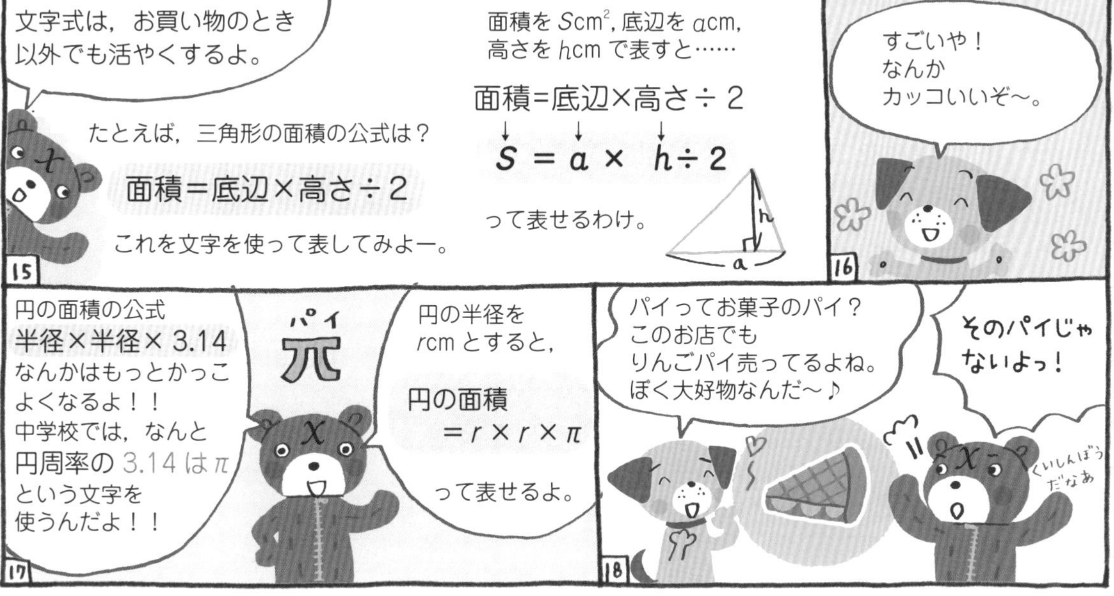

文字式は，お買い物のとき
以外でも活やくするよ。
たとえば，三角形の面積の公式は？
面積＝底辺×高さ÷2
これを文字を使って表してみよー。
面積を Scm²，底辺を $a$cm，
高さを $h$cm で表すと……
面積=底辺×高さ÷ 2
S = a × h÷ 2
って表せるわけ。
h
a
すごいや！
なんか
カッコいいぞ～。
円の面積の公式
半径×半径× 3.14
なんかはもっとかっこよくなるよ！！
中学校では，なんと
円周率の 3.14 は π
という文字を
使うんだよ！！
パイ
π
円の半径を
$r$cm とすると，
円の面積
＝r × r × π
って表せるよ。
パイってお菓子のパイ？
このお店でも
りんごパイ売ってるよね。
ぼく大好物なんだ～♪
そのパイじゃ
ないよっ！
くいしんぼうだなあ

◎文字式をつくるコツ➡ことばの式をつくり，それに文字や数をあてはめる。

例 | たて 5cm，横 $x$cm の長方形の面積 | ⇨ | 長方形の面積＝たて×横 $5 \times x$(cm²)

◎文字がどんな数を表しているかをおさえよう！

例　1 個 50 円の品物 a 個の代金 → 個数を表す a は自然数（しぜんすう）
　1，2，3，……

例　1 辺が $b$cm の正方形のまわりの長さ → 長さを表す b は正（せい）の数
　小数，分数もふくむ

例　気温 x 度→温度を表す x はすべての数
　正の数，0，負（ふ）の数

やってみよう！

次の□にあてはまる数を書きましょう。

●答えは，このページの下

1

1個80円のクッキーを何個か買い，箱に入れてもらいます。箱代は50円です。

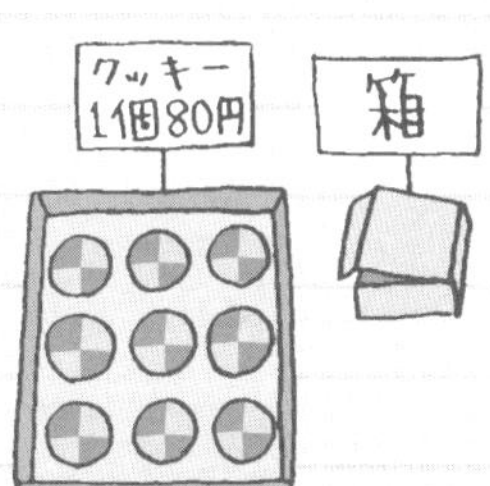

文字の利用(個数と代金)

❶クッキーをx個買ったとすると，代金は，箱代を入れて，

$80\times x+$ [ア] (円)です。

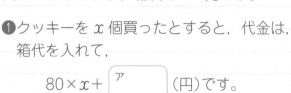

❷クッキーを10個買ったとすると，xに10をあてはめて，代金は，

$80\times$ [イ] ＋ [ウ]

＝ [エ] (円)です。

2

まわりの長さが$a$cmの正方形があります。

文字の利用(図形の面積)

❸この正方形の1辺の長さは，

$a\div$ [オ] (cm)です。

❹まわりの長さが12cmのとき，aに12をあてはめて，1辺の長さは，

[カ] ÷ [キ] ＝ [ク] (cm)です。

❺まわりの長さが12cmのとき，この正方形の面積は，

[ケ] × [コ] ＝ [サ] (cm^2)です。

ヒント
正方形の面積は，1辺×1辺で求められるね。

「やってみよう」の答え
❶ア.50　❷イ.10　ウ.50　エ.850　❸オ.4　❹カ.12　キ.4　ク.3
❺ケ.3　コ.3　サ.9

第7日 文字式の表し方のきまり

学習日　　月　　日

文字式は，×や÷の記号を使わないで表すことができるよ。
×や÷の記号がないと，式がすっきりと見やすくなるんだ。

積の表し方

ルール1 かけ算の記号**×ははぶいて**表します。

$$a \times b = ab$$

文字はアルファベット順に書くんだって。
b×a も ab だね。

ルール2 文字と数の積では，**数を文字の前**に書きます。

$$a \times 2 = 2a$$

$$a \times (-2) = -2a$$

負の数も文字の前に書くんだね。

●1と文字との積は，1をはぶいて書きます。

$$1 \times a = a$$

$$-1 \times a = -a$$

「－」の符号ははぶけない！

君は書かなくてもいいんだってさ。

ルール3 同じ文字の積は，**累乗の指数**を使って表します。

$$x \times x \times x = x^3$$

正負の数の累乗とおんなじだぁ！

$(-2) \times (-2) \times (-2) =$ ［　　　］

●かっこのついた式は，1つの文字のように考えよう。

$(a-2) \times 3 =$ ［　　　］

わかったこと その1

文字式では，かけ算の記号「×」ははぶいて表します。
そして，数は文字の前に書きます。

数は文字の前へ

$x \times 3 = 3x$

はぶく

商の表し方

ルール4

わり算は÷の記号は使わないで，分数の形に書きます。

$$a \div 5 = \frac{a}{5}$$

$$a \div (-5) = -\frac{a}{5}$$

$\frac{a}{-5}$としないで，符号は分数の前に書く。

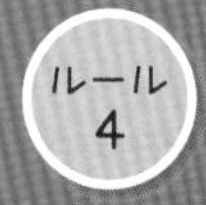

$a \div 5 = a \times \frac{1}{5}$ だから，

$a \div 5 = \frac{1}{5}a$

と書いてもいいってさ。

分子の式にはかっこをつけないよ！

●かっこのついた式は，1つの文字のように考えよう。

$$(x+3) \div 5 = \frac{\square}{\square}$$

わかったこと その2

文字式では，わり算の記号「÷」は使わないで，分数の形に書きます。

$$a \div 5 = \frac{a}{5}$$

まとめ

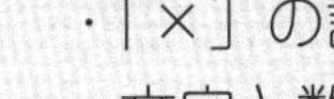

●積の表し方

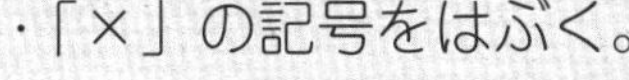

・「×」の記号をはぶく。

・文字と数の積では，数を文字の前に書く。

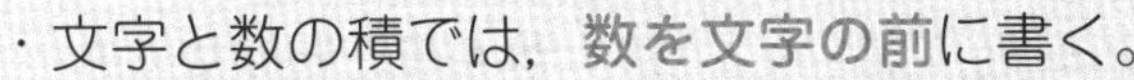

・同じ文字の積は，累乗の指数を使って表す。

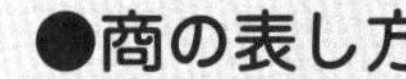

●商の表し方

・「÷」の記号は使わないで，分数の形に書く。

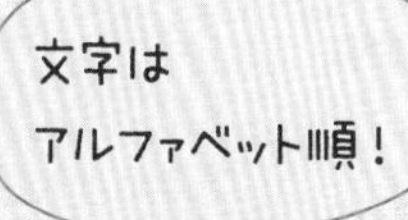

答え…$(-2)\times(-2)\times(-2)=(-2)^3$，$(a-2)\times 3=3(a-2)$，$(x+3)\div 5=\frac{x+3}{5}$

第7日 文字式の表し方のきまり

たしかめよう

□にあてはまる式やことばなどを書きましょう。

次の式を，文字式の表し方にしたがって書きましょう。

積はかけ算の記号 □ をはぶく。

① $x\times a=$ □ （アルファベット順）

② $x\times(-7)=$ □ （数は文字の前）

③ $a\times a\times a\times a=$ □ （累乗の指数を使う。）

④ $x\times 7\times a=$ □ （数は文字の前　文字はアルファベット順）

商はわり算の記号÷を使わないで □ の形に書く。

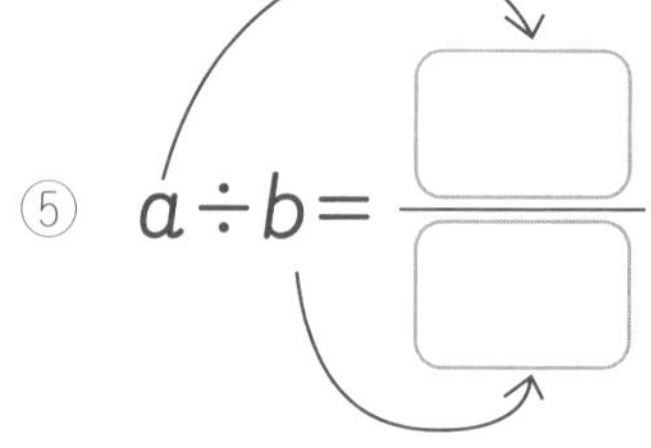

⑤ $a\div b=\frac{□}{□}$

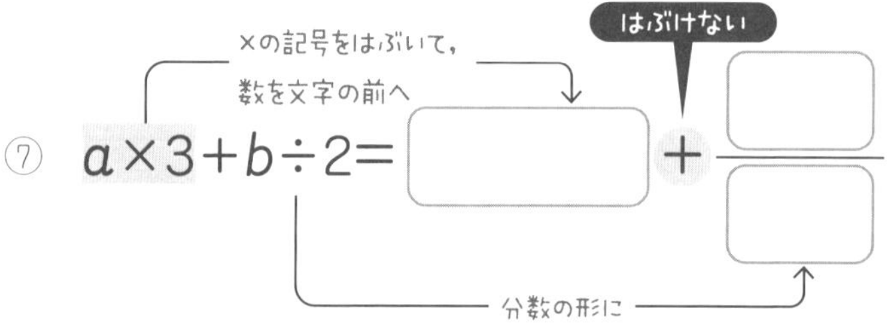

×の記号をはぶいて，
数を文字の前へ
はぶけない
分数の形に

⑥ $x\div(-9)=$ □ （「－」の符号は分数の前に）

たし算やひき算の混じった式では，……

⑦ $a\times3+b\div2=$ □ $+\frac{□}{□}$

これもはぶいちゃえ
はぶいちゃダメ！

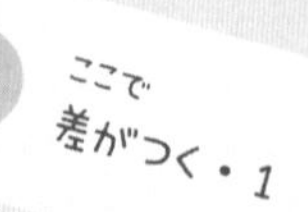

ここで
差がつく・1

●乗除が混じっていたらどうする？

乗除の混じった式では，左から順に「×」「÷」の記号をはぶいていきます。

例　$a\div2\times b=\frac{a}{2}\times b=\frac{ab}{2}$

●はぶく順序をまちがえると大変！

$a\div2\times b=a\div2b=\frac{a}{2b}$ ✕

順序が大事！

やってみよう

次の各式を，文字式の表し方にしたがって書きましょう。

① $a \times b \times (-1)$

② $x \times y \times y \times (-3)$

③ $(x+3) \times 4$

④ $(a-2) \div 4$

⑤ $a \times b \div 2$

⑥ $x \div (-1) \times y$

⑦ $x \times 2 - 7 \times y$

⑧ $a \times 2 + b \div 4$

▶答えは別冊 6 ページ

●文字の式はどんなふうに使うの？

右の台形アの面積は，×÷の記号を使うと，$(a+b) \times 3 \div 2$(cm²)ですが，文字式のきまりにしたがって表すと，$\frac{3}{2}(a+b)$(cm²)となります。

また，正方形イの面積は，x^2(cm²)となります。

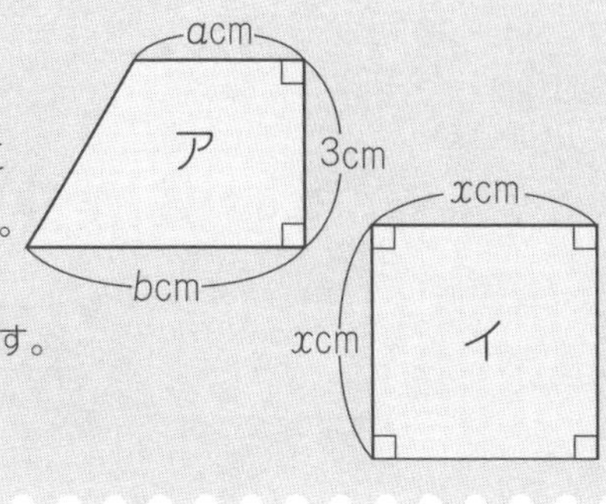

第8日 文字に数をあてはめよう

学習日　　月　　日

正負の数を代入しよう

まずは，正の数を代入しよう。

問 $x=5$ のとき，$4x+1$ の値は？

$4x+1$

$=4\times x+1$　　×を使った式に直す。

　↓代入　　x に 5 をあてはめる。

$=4\times 5+1$

　↓かけ算を先に計算。

$=$ □ $+1=21$

　　式の値

☑ 用語チェック

代入…文字式の中の文字に数をあてはめること。

式の値…代入して計算した結果。

$x=5$ を $4x$ にあてはめて，

45

なんてダメだよ。

次は，負の数を代入するよ。

問 $a=-2$ のとき，$7a+4$ の値は？

$7a+4$

$=\ 7\times a\ +4$　　×を使った式に直す。

　↓代入　　かっこをつけて，a に -2 をあてはめる。

$=7\times(-2)+4$

　↓かけ算を先に計算。

$=$ □ $+4=-10$

　　式の値

かっこをつけないと

7×-2

なんて，ヘンな式になるね。

わかったこと その1

式の値を求めるときは，×の記号を使った式に直して，負の数にはかっこをつけて代入します。

$a=-2$ のとき，$7a+4$ の値は

$$7a+4=7\times a+4=7\times(-2)+4=-10$$

×を使った式に　（　）をつけて代入　式の値

累乗の指数のついた式へ代入しよう

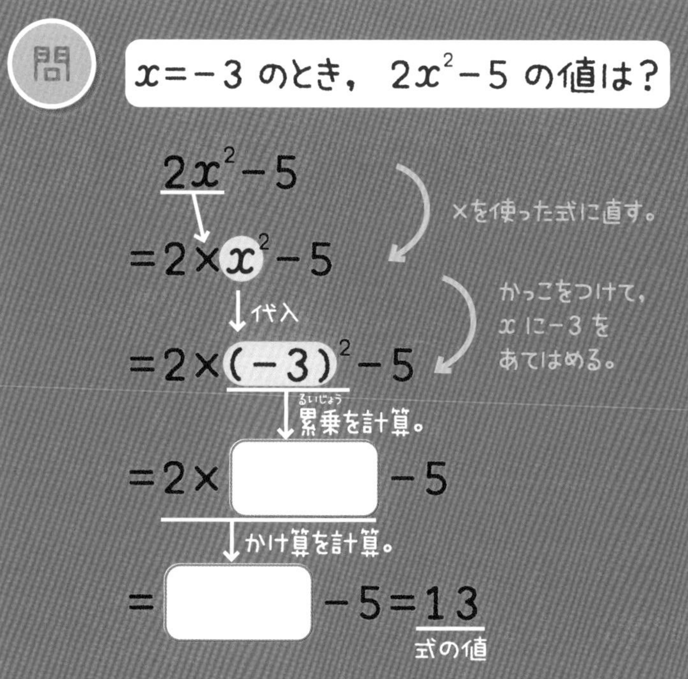

頭の中で代入すると，

$2x^2$

$=2\times(-3^2)$

$=2\times(-9)$

のようなミスをしやすいよ。1つ1つていねいに式を書いていこう。

負の数は，かっこをつけて代入し，ミスを防ぎます。

（負の数）は，いつでもかっこつき。

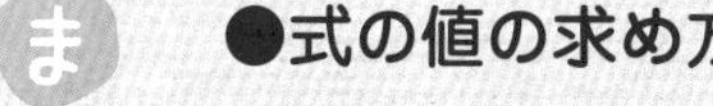

●式の値の求め方

①もとの式を「×」の記号を使った式に直す。
②式の文字に，数を代入する。
　このとき，負の数にはかっこをつけて代入する。
③数の計算をする。

答え…=20+1=21，=−14+4=−10，=2×9−5=18−5

文字に数をあてはめよう

たしかめよう

□にあてはまる数や式を書きましょう。

① $x=2$ のとき，$3x-5$ の値を求めましょう。

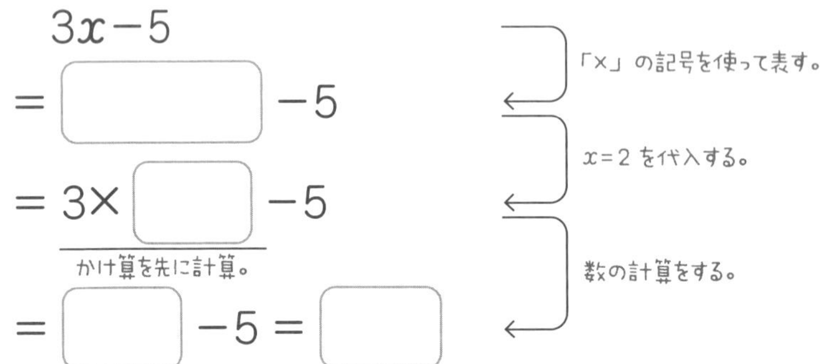

② $x=-3$ のとき，$4-2x$ の値を求めましょう。

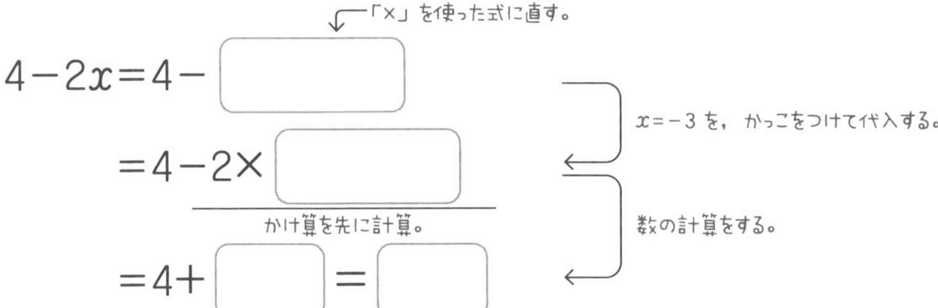

③ $x=-2$ のとき，$6-x^3$ の値を求めましょう。

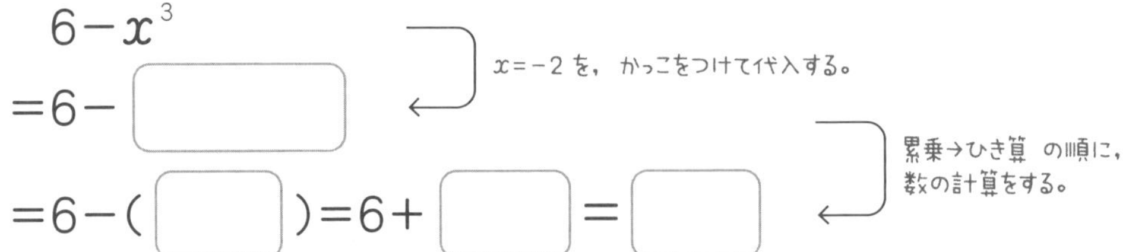

$6-x^3$
$=6-$ □
$x=-2$ を，かっこをつけて代入する。

$=6-($ □ $)=6+$ □ $=$ □

累乗→ひき算 の順に，数の計算をする。

●代入したら計算の順序に注意！

文字式に数を代入すると，次は数の計算になります。

数の計算が四則(しそく)の混じった計算になるときは，計算の順序に気をつけましょう！

計算の順序は，

かっこ・累乗 → 乗除 → 加減

やってみよう

次の計算をしましょう。

$a=6$ のとき，次の式の値を求めましょう。

① $2a-3$

② $16-3a$

$x=-2$ のとき，次の式の値を求めましょう。

③ $3x+7$

④ $12-2x$

⑤ $9-2x^2$

⑥ x^3+7

$x=\dfrac{2}{5}$ のとき，次の式の値を求めましょう。

⑦ $8-25x$

⑧ $1+x^2$

▶答えは別冊 6 ページ

●累乗の指数がついた式に分数を代入 → 分数全体にかっこをつけて代入しよう。

例　$x=\dfrac{2}{3}$のとき，$2x^2$ の値は，

$$2\times x^2=2\times\left(\frac{2}{3}\right)^2$$
$$=2\times\frac{4}{9}$$
$$=\frac{8}{9}$$

かっこをつけないと

$$2\times x^2=2\times\frac{2^2}{3}$$
$$=2\times\frac{4}{3}$$
$$=\frac{8}{3}$$

分子だけ 2 乗して，分母を 2 乗するのを忘れることがあるよ。

第9日

文字式のたし算・ひき算

学習日　　月　　日

同じ文字をまとめよう

文字の部分が同じ項は，1つの項にまとめることができるよ。

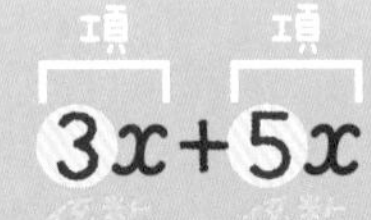

項　項

$3x+5x$　係数　係数

$=(3+5)x$　係数の和を求める。

$=8x$　係数の和に共通な文字をつける。

用語チェック

項…加法だけの式で，加法の記号で結ばれた1つ1つ。

係数（けいすう）…文字をふくむ項で，数の部分。

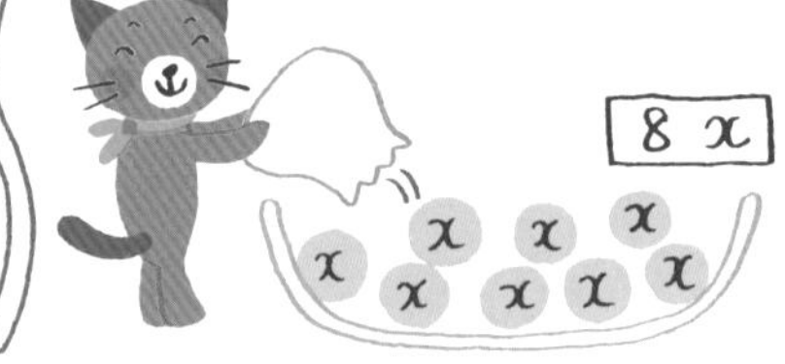

文字の項と数の項がある式は，文字の項どうし，数の項どうしでまとめよう。

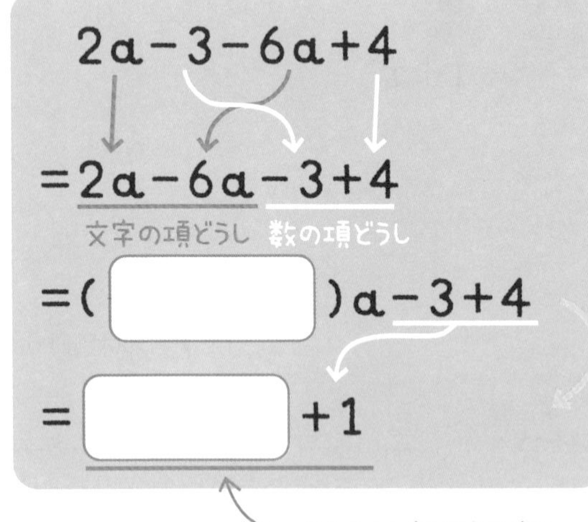

2a－3－6a＋4
＝2a－6a－3＋4
文字の項どうし　数の項どうし
＝(　　)a－3＋4
＝　　＋1

文字の項，数の項をそれぞれまとめる。

これ以上まとめられない。

文字の部分が同じ項を，同類項（どうるいこう）っていうんだって……。

文字の前に書く。

$3x+5x=(3+5)x=8x$

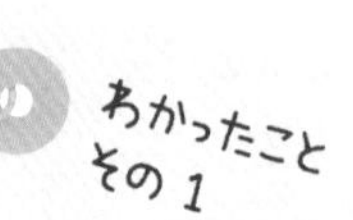

- 同じ文字の項の計算は，係数どうしを計算して，文字の前に書きます。
- 文字の項と数の項がある式は，文字の項と数の項をそれぞれまとめます。

文字式をたしたり，ひいたりしてみよう

2つの式 $3x+4$ と $5x-6$ をたしてみよう。

$(3x+4)+(5x-6)$

符号(ふごう)はそのまま

$=3x+4\quad+5x-6$

$=(\quad\quad)x+4-6$

$=\quad\quad$

かっこをはずす。
+(　)はそのままはずす。

文字の項，数の項を
それぞれまとめる。

式 $3x+4$ から，式 $5x-6$ をひいてみよう。

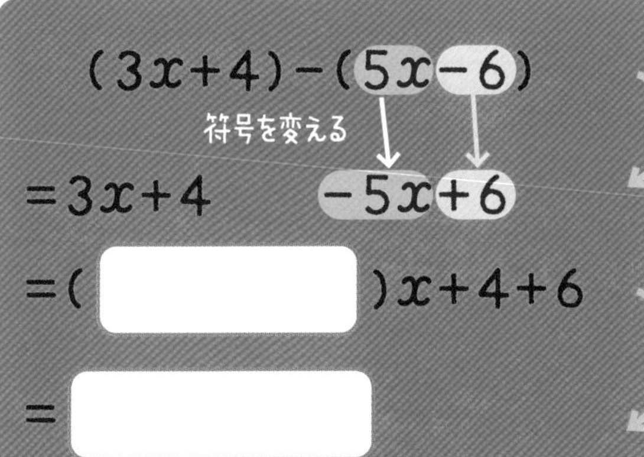

かっこをはずす。
−(　)はかっこの
中の各項の符号
を変えてはずす。

文字の項，
数の項を
それぞれまとめる。

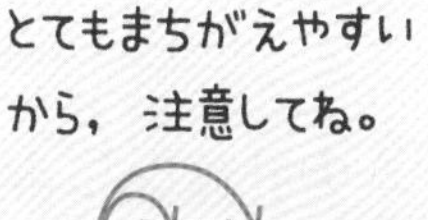

とてもまちがえやすい
から，注意してね。

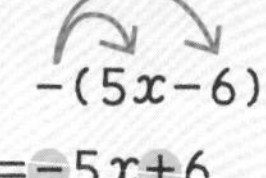

わかったこと その2

かっこのはずし方を確認！

・+(　)➡そのままはずす。
・−(　)➡各項の符号を変えてはずす。

まとめ

●文字の部分が同じ項は，右の計算法則 $mx+nx=(m+n)x$ で，1つの項にまとめられる。
文字の項と数の項は，まとめることができない。

●2つの式をたしたり，ひいたりするには，
かっこをはずして，文字の項どうし，数の項どうしをまとめる。

かっこのはずし方

$+(a+b)=a+b$	$-(a+b)=-a-b$
符号はそのまま	符号を変える
$+(a-b)=a-b$	$-(a-b)=-a+b$

答え…$=(2-6)a-3+4=-4a+1$，$=(3+5)x+4-6=8x-2$，$=(3-5)x+4+6=-2x+10$

第9日

文字式のたし算・ひき算

たしかめよう

□にあてはまる数や式を書きましょう。

次の式の項と係数を書きましょう。

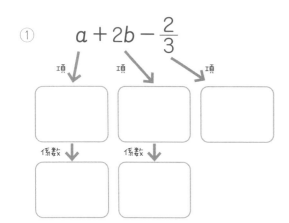

① $a+2b-\frac{2}{3}$

項 □ 項 □ 項 □

係数 □ 係数 □

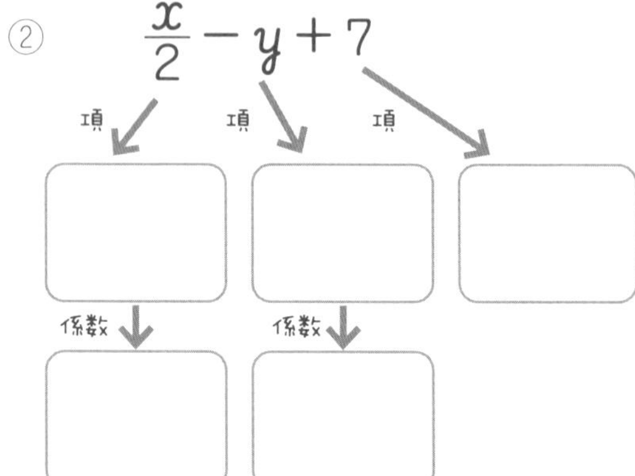

② $\frac{x}{2}-y+7$

次の計算をしましょう。

③ $5x-x=($ □ $)x=$ □

係数どうしを計算

④ $3a+2-(4a-7)$

$=3a+2-$ □

$=($ □ $)a+2+7$

$=$ □

−(　)は(　)の中の各項の符号を変えてかっこをはずす。

文字の項，数の項をそれぞれまとめる。

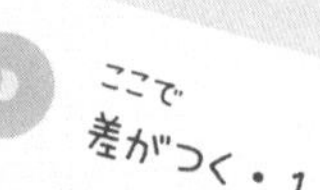

●まちがえやすい係数を確認しておこう！

・xの係数 → 1

・$-a$の係数 → -1

・$\frac{x}{3}$の係数 → $\frac{1}{3}$

・$-\frac{a}{2}$の係数 → $-\frac{1}{2}$

●−(　)は，−1×(　)の分配法則と考えよう！

分配法則

$-(4a-7)=-1\times(4a-7)$

$=-1\times4a-(-1)\times7$

$=-4a-(-7)$

$=-4a+7$

この符号を変えるのを忘れやすい！

やってみよう

次の計算をしましょう。

① $7x+x$

② $8a-7a$

③ $-11x-13x$

④ $-\frac{2}{5}a+\frac{1}{2}a$

⑤ $7x-11-3x+5$

⑥ $2a-b+2b-5a$

⑦ $(4x-3)+(3x+8)$

⑧ $(8a-11)-(5a-3)$

▶答えは別冊 7 ページ

● 「1 次の項」と「1 次式」

・文字が 1 つだけの項を **1 次の項**といいます。

例　$3a$, $-4x$, $\frac{1}{3}y$

・1 次の項だけ，または，1 次の項と数の項からできている式を **1 次式**といいます。

例　$2a$, $3x-5$, $\frac{1}{2}y+3$

(注意)　$3xy$ や $2a^2$ のような項は，文字が 1 つだけではないので，1 次の項ではありません。

$3xy$…文字が x と y の 2 つある。

$2a^2$…$2\times a\times a$ だから，文字は 2 つあると考える。

第10日 文字式のかけ算・わり算

学習日　　月　　日

文字式に数をかけよう

文字式と数のかけ算をしてみよう。

$2x \times 5$
「×」の記号を補う。
$= 2 \times x \times 5$
数を前に集める。
$= 2 \times 5 \times x$
数どうしを計算。
数の計算をして，それに文字をかける。
$=$ □

「×」の記号ははぶこう！

かけ算だけの式は，かける順序を変えてもよかったね。

文字式に負の数をかけるとどうなるかな。

$3a \times (-4)$
「×」の記号を補う。
$= 3 \times a \times (-4)$
数を前に集める。
$= 3 \times (-4) \times a$
数どうしを計算。
数の計算をして，それに文字をかける。
$=$ □

「×」の記号ははぶく！

符号に気をつければ，負の数があっても平気だね。

(－)×(＋)→(－)
(－)×(－)→(＋)

文字式に数をかける計算では，数どうしを先に計算して，それに文字をかけます。

数どうしを計算。
$2x \times 5 = 10x$
文字をかける。

文字式を数でわろう

文字式と数のわり算をしてみよう。

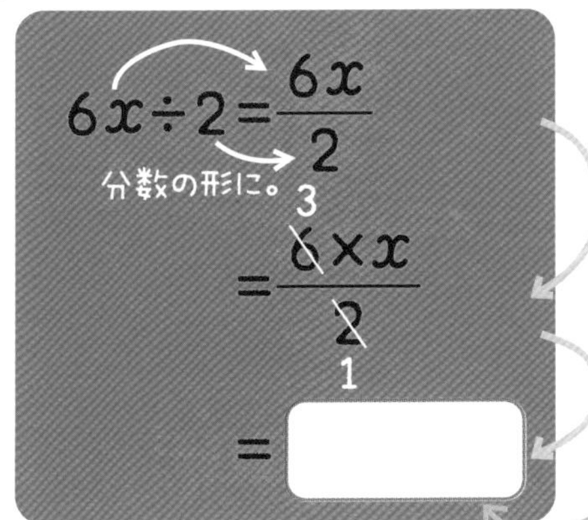

$6x \div 2 = \frac{6x}{2}$
分数の形に。
$= \frac{\overset{3}{\cancel{6}} \times x}{\underset{1}{\cancel{2}}}$
=

分子の式に「×」の記号を補う。

数どうしを約分。

「×」の記号ははぶこう！

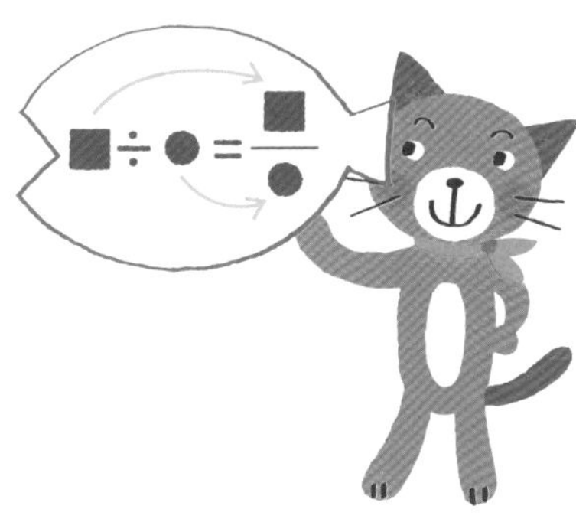

「分数でわる」ときたら，「逆数（ぎゃくすう）」を思いだしてね！

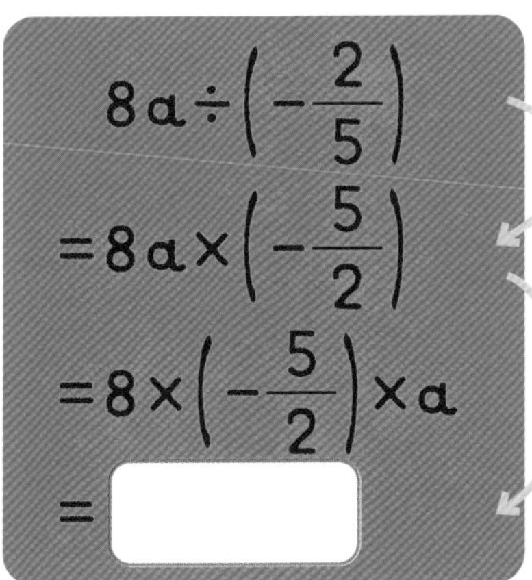

逆数をつくってかけ算に直す。

数どうしを先に計算して，文字をかける。

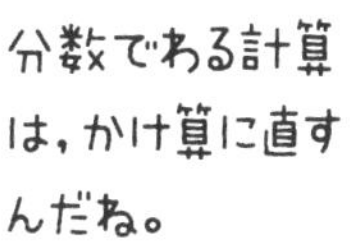

分数でわる計算は，かけ算に直すんだね。

$$6x \div 2 = \frac{\overset{3}{\cancel{6}} \times x}{\underset{1}{\cancel{2}}} = 3 \times x = 3x$$

・わり算は分数の形にして，数どうしで約分します。
・分数でわるときは，逆数をつくってかけ算に直します。

まとめ

●項（こう）が１つの式と数とのかけ算・わり算

かけ算 ⇨ 数どうしの積に文字をかける。
わり算 ⇨ 分数の形にして，数どうしで約分する。
わる数が分数のときは，わる数の逆数をかけるかけ算に直す。

答え…$2 \times 5 \times x = 10x$，$3 \times (-4) \times a = -12a$，$\frac{6 \times x}{2} = 3x$，$8 \times \left(-\frac{5}{2}\right) \times a = -20a$

文字式のかけ算・わり算

たしかめよう

□にあてはまる数や式を書きましょう。

次の計算をしましょう。

① $5x\times3=5\times x\times3=$ □ × □ × □ = □

数どうしを先に計算。

② $-4a\times5=-4\times a\times5=$ □ × □ × □ = □

数どうしを先に計算。

③ $12a\div(-3)=\dfrac{□}{□}=-\dfrac{\overset{4}{\cancel{12}}\times a}{\underset{1}{\cancel{3}}}$

分数の形に。

数どうしで約分。

$=-$ □ × □ = □

④ $21x\div\left(-\dfrac{7}{8}\right)=21x\times($ □ $)$

逆数をつくって，かけ算に直す。

$=21\times($ □ $)\times x$

$=$ □

係数(けいすう)の積に文字をかける。

ここで差がつく・1

● $2x$ を 5 倍する（$2x\times5$）とは？

$2x$ が 5 個

$2x+2x+2x+2x+2x$

↓

$x+x+x+x+x+x+x+x+x+x$

x が 10 個

$2x$ が 5 個あるということは，x が $2\times5=10$(個)あるのと同じこと。

● $6x$ を 2 でわる（$6x\div2$）とは？

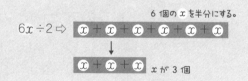

6 個の x を半分にする。

$6x\div2$ ⇨ $x+x+x+x+x+x$

↓

$x+x+x$ x が 3 個

$6x$ を 2 でわるということは，6 個の x を $6\div2=3$(個)にするのと同じこと。

やってみよう

次の計算をしましょう。

① $3x\times4$　　② $-7x\times3$

③ $2a\times(-6)$　　④ $-4a\times\frac{1}{2}$

⑤ $8x\div4$　　⑥ $-15a\div3$

⑦ $-3a\div\frac{1}{2}$　　⑧ $-24x\div\left(-\frac{3}{4}\right)$

▶答えは別冊 7 ページ

●計算ルールはいつでも同じ！

文字をふくんだ式のたし算・ひき算，かけ算・わり算は，文字を考えなければ数だけの計算と同じルールです。

係数の計算を正負の数の計算のルールにしたがって計算し，それに文字をつければよいのです。

第11日

かっこのついた式の計算

学習日　　月　　日

数×(文字式), (文字式)÷数の計算

項が2つある式と数のかけ算をしてみよう。

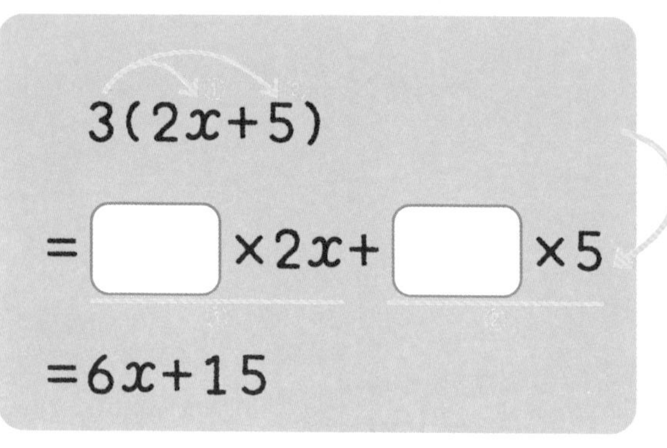

かっこの外の数を，かっこの中のぜんぶの項にかける。

わり算は，かけ算に直して計算しよう。
かっこのはずし方は同じだよ。

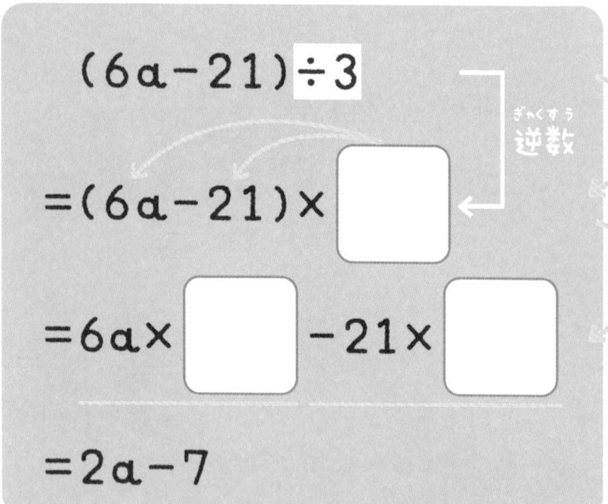

わり算をかけ算に直す。

かっこの外の数を，かっこの中のぜんぶの項にかける。

- かっこをはずすには，分配法則を使って，かっこの外の数をかっこの中の全部の項にかけます。
- わり算は，かけ算に直して，分配法則でかっこをはずします。

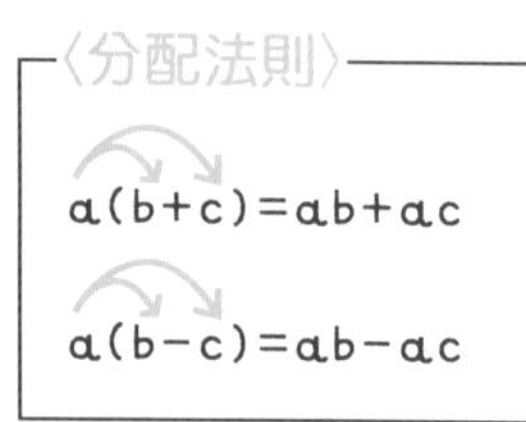

数×(　)のたし算・ひき算に挑戦(ちょうせん)！

ちょっと複雑だけど，まずは(　)をはずして，ていねいに計算してみよう。

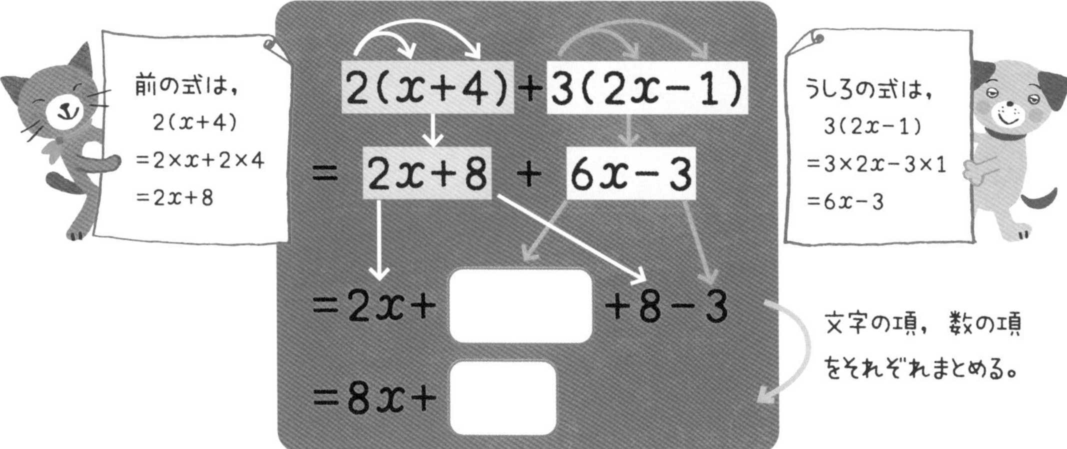

前の式は，
2(x+4)
=2×x+2×4
=2x+8
2(x+4)+3(2x−1)
= 2x+8 + 6x−3
=2x+　　+8−3
=8x+
うしろの式は，
3(2x−1)
=3×2x−3×1
=6x−3
文字の項，数の項
をそれぞれまとめる。

次は，ひき算だよ。符号(ふごう)に注意して計算しよう。

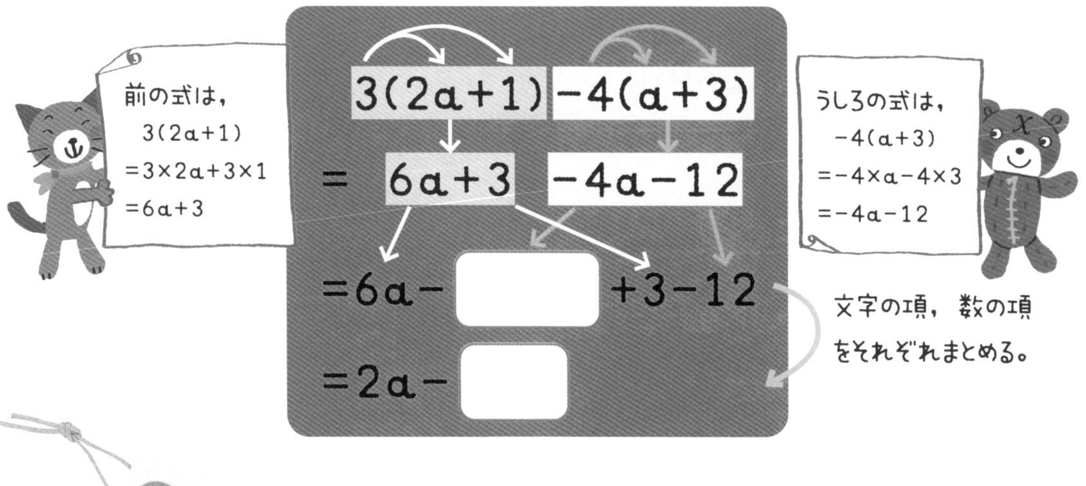

前の式は，
3(2a+1)
=3×2a+3×1
=6a+3
3(2a+1)−4(a+3)
= 6a+3 −4a−12
=6a−　　+3−12
=2a−
うしろの式は，
−4(a+3)
=−4×a−4×3
=−4a−12
文字の項，数の項
をそれぞれまとめる。

わかったこと その2

分配法則でかっこをはずしてから計算します。
ひき算は，符号の変化に注意しよう！

まとめ

かっこのついた式の計算

- 数×(　)の式は，**分配法則**でかっこをはずす。
- (　)÷数の式は，かけ算に直してから，分配法則でかっこをはずす。
- 数×(　)の式をたしたり，ひいたりするには，
  かっこをはずして，文字の項どうし，数の項どうしをまとめる。

$3\times2x+3\times5$, $(6a-21)\times\frac{1}{3}=6a\times\frac{1}{3}-21\times\frac{1}{3}$, $2x+6x+8-3=8x+5$, $6a-4a+3-12=2a-9$

かっこのついた式の計算

たしかめよう

□にあてはまる数や式を書きましょう。

次の計算をしましょう。

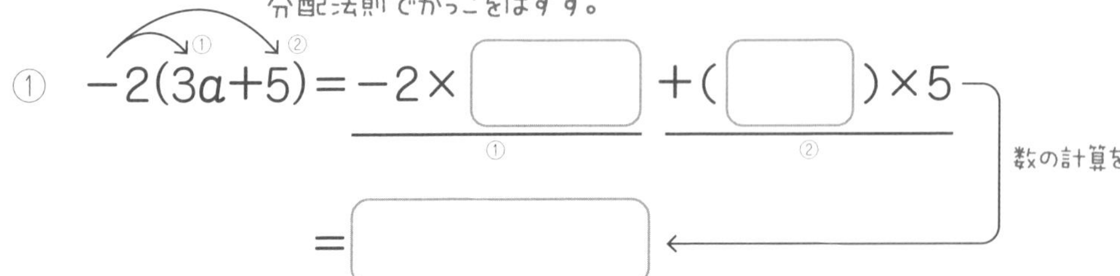

分配法則でかっこをはずす。
①
②
数の計算をする。

① $-2(3a+5)=\underset{①}{\underline{-2\times\square}}\ \underset{②}{\underline{+(\square)\times5}}$

$=\square$

分配法則でかっこをはずす。

② $(3x-15)\div\underline{\left(-\dfrac{3}{4}\right)}=(3x-15)\times\underline{(\square)}$

逆数をつくって，かけ算に直す。

$=\underset{①}{\underline{3x\times(\square)}}\ \underset{②}{\underline{-15\times(\square)}}=\square$

③ $\underline{2(4a-1)}\ \underline{-3(a-2)}$

$=2\times4a-2\times1\ \ -3\times a-(-3)\times2$

前の式と後ろの式の，かっこをそれぞれはずす（分配法則）。

$=\ 8a-2\ \ -3a\ \square$

文字の項，数の項をそれぞれまとめる。

$=\square$

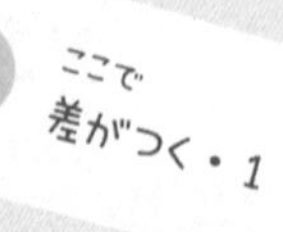

ここで
差がつく・1

● (　) ÷数 のわり算も分数の形にできる！

(　)をひとまとまりとみて，分数にします。

例 $(6x-15)\div3$

$=\dfrac{6x-15}{3}$ 分数の形にする。

$=\dfrac{\overset{2}{\cancel{6}x}}{\underset{1}{\cancel{3}}}-\dfrac{\overset{5}{\cancel{15}}}{\underset{1}{\cancel{3}}}$ 各項を数でわる。

$=2x-5$ 約分する。

分数にしたら約分しよう

やってみよう

次の計算をしましょう。

① $3(x+4)$

② $-5(2a+1)$

③ $6(b-3)$

④ $(9x-12)\div 3$

⑤ $(4a-6)\div(-2)$

⑥ $(20b-8)\div\frac{4}{5}$

⑦ $5(x-3)+3(3x+5)$

⑧ $4(a+3)-2(3a-6)$

▶答えは別冊 8 ページ

●分配法則を面積でみてみよう！

右の長方形の面積を，

・縦（たて）a，横 $b+c$ の長方形と考えると，

$a(b+c)$ ……①

・縦 a，横 b の長方形と，縦 a，横 c の長方形の和と考えると，

$ab+ac$ ……②

①と②は等しいから，$a(b+c)=ab+ac$

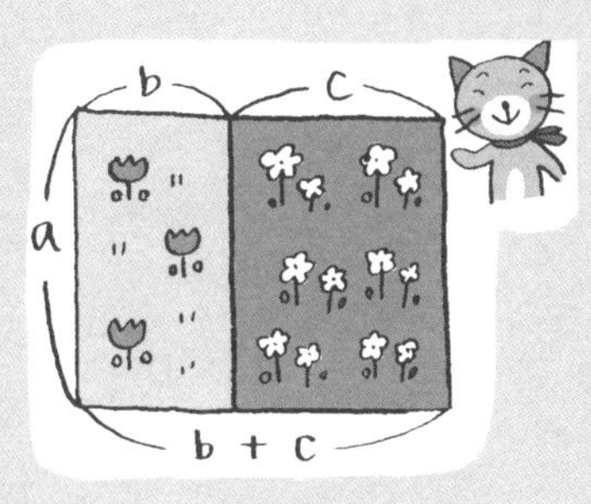

2章　文字と式
仕上げドリル
範囲：第7日～第11日
解答：別冊 p.9

文字式と正負の数は，数学の基本。ここで文字式をしっかり覚えたか，確認しよう。

1 文字式の表し方で書きましょう。 第7日　1つ3点　12点

① $x\times(-1)\times a$ （　　　）

② $m\div4\times n$ （　　　）

③ $3\times x\times x\div y$ （　　　）

④ $(a+9)\div(-4)$ （　　　）

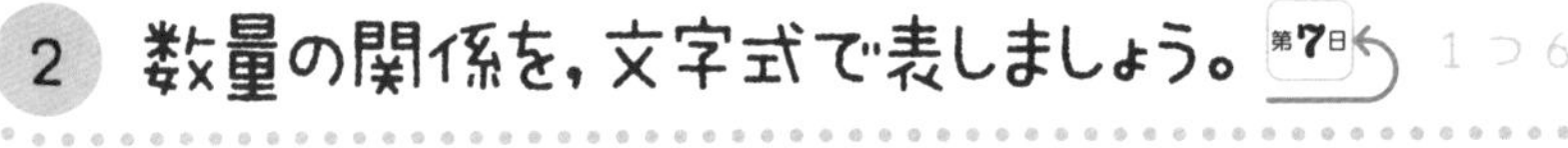

2 数量の関係を，文字式で表しましょう。 第7日　1つ6点　12点

① 十の位の数が x，一の位の数が 9 の 2 けたの自然数(しぜんすう)。

（　　　）

② 1本 70 円のえんぴつを x 本，1個 100 円の消しゴムを y 個買ったときの代金の合計。

（　　　）円

3 次の問いに答えましょう。 第8日　1つ6点　12点

① $x=-8$ のとき，$3-5x$ の値(あたい)を求めましょう。

（　　　）

② $a=-2$ のとき，$3a^2-9$ の値を求めましょう。

（　　　）

4 次の計算をしましょう。 第9日～第11日

1つ8点（64点）

① $4x+7-2x+3$

（　　　）

② $6a-4-(5a-2)$

（　　　）

③ $5y\times(-4)$

（　　　）

④ $-24a\div(-8)$

（　　　）

⑤ $-60x\div\left(-\frac{3}{5}\right)$

（　　　）

⑥ $(12m-6)\div\left(-\frac{2}{3}\right)$

（　　　）

⑦ $4(x-2)+2(3x+4)$

（　　　）

⑧ $2(3a+7)-4(2a-5)$

（　　　）

どれだけできたかな？
できなかった問題は
答えの解説を読んでおこう！

得点

/100点

定期テストとは？

成績に大きく影響する大事なテストが中間テストや期末テストなどの「定期テスト」。このページでその内容と対策をくわしく解説するよ！

01 定期テストはいつやるの？

定期テストは各学期の中間や期末に行うテストのことだよ。数日にわたって色々な教科のテストをまとめてするのが特徴なんだ。小学校までは，教科ごとにそのつどテストをすることが多いけど，ここが大きな違いだね。

定期テストの１週間くらい前から，「テスト準備期間」というものがあるんだ。この期間は，部活動などは休みになって，みんなテスト勉強に集中するんだよ。

<例>３ 学期制で１学期に中間テストと期末テストがある場合

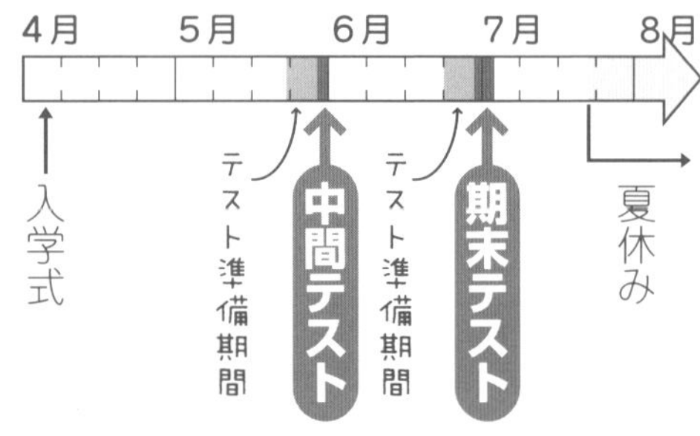

- 試験時間は？
  →５０分くらい
- テストの分量は？
  →問題用紙１～３枚ぐらいで，解答用紙は別のことが多い。

02 定期テストの試験範囲は？

定期テストは，先生が教科書の中から範囲を決めて出題するんだ。

数学は授業数が多いから，その分テスト範囲が広い。一夜漬けではムリだよ。

03 定期テスト対策はどうする？

テスト範囲は広いけど，基本的な問題も多く，「授業で習ったこと」を中心に出題されるよ。

だから，教科書や授業でやった問題を中心に試験範囲をしっかり復習して，自分で解けるようにしておくことが，定期テスト攻略の近道になるよ。「テスト準備期間」を利用して，計画的にテスト勉強を進めよう。

次のことをすればテスト対策になるよ！
・教科書やプリントの問題を解き直す
・ノートを見直す，まとめ直す

第3章 方程式

おうちの方へ

小学校までは，文字式で文字にあてはまる値を求めるとき，いわゆる逆算によって求めていましたが，ここでは方程式を「等式」とみて，「等式の性質」を用いて能率的に解いていく方法を学習します。

第 14 日の文章題では，方程式を用いると，小学校で学習した解き方よりも考えやすいことがわかります。式のつくり方から解き方までていねいに説明していますので，無理なく理解することができます。

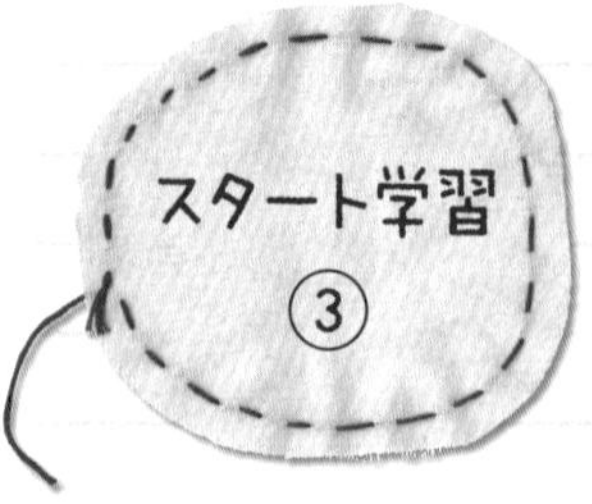

方程式ってなあに？

「等式」「方程式とその解」

方程式(ほうていしき)が使えると，文章題がラクに解けるようになるよ。方程式の基本を，ここで勉強しよう。

1
ねぇねぇ，ベアくんの体重ってどれくらいなの？
力持ちだけど，かけっこするとわりと速いし，そんなに重くないのかな？

2
公園には体重計はないから，このシーソーで調べてみよう。

3
ベアくん，そっちに乗って。
まずはこれとこれをのっけてみようかな。
1kg
10kg
5kg
つり合わないね。もっとのせてよ。

4
ベアくんと5kgは10kg+3kgと同じ重さだね。
5kg
10kg
3kg
つり合ったね。
やったあ

◎上のシーソーで，重さがつり合っている関係を式で表すと，ベアくんの体重を x として，$x+5=10+3$ となります。

◎数量の間の関係を，等号(とうごう)＝を使って表した式を**等式**(とうしき)といいます。

◎等式で，等号の左側の式を**左辺**(さへん)，等号の右側の式を**右辺**(うへん)といいます。左辺と右辺を合わせて，**両辺**(りょうへん)といいます。

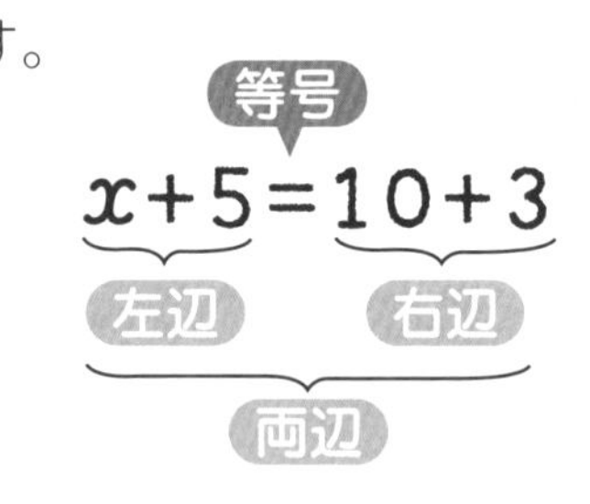

5

とうしき！　等式！
ぼく，ほかの等式も
知っているよ。

6

これ

$-8+6=-2$

でも，
この式には
文字がないよ。

7

等号があって，左辺と
右辺があるね。
左辺を計算すると－２
だから，
つり合ってる。
等式だね。

8

文字のある等式も
知ってるよ。

$2x+3x=5x$

左辺を計算すると $5x$
左辺と右辺は
つり合ってる。
これも等式だね。

9

x は数の代わりだから，x に１をあてはめよう。

左辺は，$2\times1+3\times1=5$
右辺は，$5\times1=5$

つり合ってるね。

10

x が２のときは？

左辺は，$2\times2+3\times2=10$
右辺は，$5\times2=10$

つり合ってるね。

11

x にどんな数を
あてはめても
つり合ってるんだね。

あっ！

話が
それちゃった。
で，ベアくんの
体重は？

12

さっきのつり
合いの式に数を
あてはめて…。

$x+5=10+3$

なるほど

13

x が１のときは？

左辺は，$1+5=6$
右辺は，$10+3=13$

つり合わ
ない！

14

x が２のときは？

左辺は，$2+5=7$
右辺は，$10+3=13$

つり合わ
ないっ！

◎等式の左辺と右辺がつり合っていることを
「**等式が成り立つ**」といいます。
◎式の中の文字に特別な数をあてはめると成り立つ
等式を**方程式**といいます。

シーソーの式は**方程式**なんだね。どおりで適当に数をあてはめてもつり合わないはずだ。

15

x+5＝10+3 が成り立つのは，x がどんな数のときだろう…。

x が 1 でも 2 でも成り立たなかったけど，3 から順番にあてはめてみようよ。

16

x=5 のときから，順に左辺を書き入れてね。

	x	3	4	5	6	7	8	9	10
左辺→	x+5	8	9						
右辺→	10+3	13	13	13	13	13	13	13	13

方程式 **x+5＝10+3** が成り立つのは，x が ☐ のときだね。

17

ぼくの体重は，☐ kg だってわかっちゃったね。

ぼくはベアくんより－3kg 重いから，ぼくの体重は 5kg だよ。

18

◎方程式を成り立たせる文字の値を，その方程式の**解**(かい)といいます。
◎方程式の解を求めることを，**方程式を解**(と)**く**といいます。

方程式 x+5＝10+3 の
解は，x= ☐
なんだぁ。
ぼくたち，方程式を解いたんだね。なんか，すごいな。
方程式を解くとき，いつも表をつくって文字に順番に数をあてはめていくのって，なんか めんどう……。
12 日目から，じょうずな方程式の解き方を勉強するんだってさ。

19

20

答え…

x	3	4	5	6	7	8	9	10
x+5	8	9	10	11	12	13	14	15

，xが8，ぼくの体重は，8kg，解は，x=8

やってみよう！

次の□にあてはまる数や番号を書きましょう。

●答えは，このページの下

❶下の(1)〜(4)の等式のうち，方程式は $\boxed{ア}$ と $\boxed{イ}$ です。

方程式

(1) $3x-x=2x$　　(2) $3x-1=2$

(3) $3(x+1)=3x+3$　　(4) $2x-1=x+1$

ヒント　x にどんな数をあてはめても成り立つ等式は，方程式ではないよ。

❷下の(1)〜(3)の方程式で，$x=3$ が解であるものは $\boxed{ウ}$ です。

方程式の解

(1) $x+2=8$

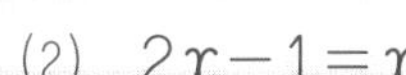

(2) $2x-1=x$

(3) $2x-3=x$

ヒント　(1)〜(3)の x に3をあてはめて，方程式が成り立てば，$x=3$ は，その方程式の解だよ。

❸方程式 $2x-3=9$ を，下の表を使って解きましょう。

	x	1	2	3	4	5	6	7	8
左辺→	$2x-3$	-1	1						
右辺→	9	9	9	9	9	9	9	9	9

方程式 $2x-3=9$ を解くと，$x=$ $\boxed{エ}$

「やってみよう」の答え　❶ア.(2)　イ.(4)（または，ア.(4)　イ.(2)）　❷ウ.(3)　❸エ.6

第12日 方程式を解いてみよう

学習日　　月　　日

方程式を解いてみよう

方程式(ほうていしき)の「解(かい)」を求めることを「方程式を解(と)く」というんだったね。次の4つの「等式(とうしき)の性質」を使うと方程式の「解」を求めることができるよ。

等式の性質

$A=B$ のとき，

① $A+C=B+C$ 両辺(りょうへん)に同じ数をたしても等式は成り立つ。

② $A-C=B-C$ 両辺から同じ数をひいても等式は成り立つ。

③ $A\times C=B\times C$ 両辺に同じ数をかけても等式は成り立つ。

④ $A\div C=B\div C$ 両辺を同じ数でわっても等式は成り立つ。
($C\neq 0$)

では，実際に方程式を解いてみよう。

$x-1=4$

$x-1+1=4+1$ （$-1+1$ → 0）

$x=$ □

両辺に 1 をたす。
（等式の性質①）

これが方程式の解！

等式の性質を使って，
$x=$○
の形に式を変形していくことがポイントだよ。

次の方程式は，どの性質を使えばいい？

$3x=-6$

$3x\div 3=-6\div 3$

$\frac{3x}{3}=-\frac{6}{3}$ （3と3を約分して1，6と3を約分して2と1）

$x=$ □

解

両辺を 3 でわる。
（等式の性質④）

等式の性質③を使って，

$3x=-6$

$3x\times\frac{1}{3}=-6\times\frac{1}{3}$

$\frac{3x}{3}=-\frac{6}{3}$

$x=-2$

とすることもできるよ。

方程式を解くには，等式の性質を利用して，x＝数の形に，等式を変形すればよい。

変形して
x＝数 ⇦方程式の解

移項を利用して解いてみよう

移項

等式では，一方の辺にある項(こう)を，その符号(ふごう)を変えて，他方の辺に移すことができます。これを，移項(いこう)といいます。

$x+3=7$ 移項
$x=7-3$
$x=4$

等式の性質
①や②を使うのと同じだね。

$x+3=7$
$x+3-3=7-3$
$x=4$

移項を使って，次の方程式を解いてみよう。

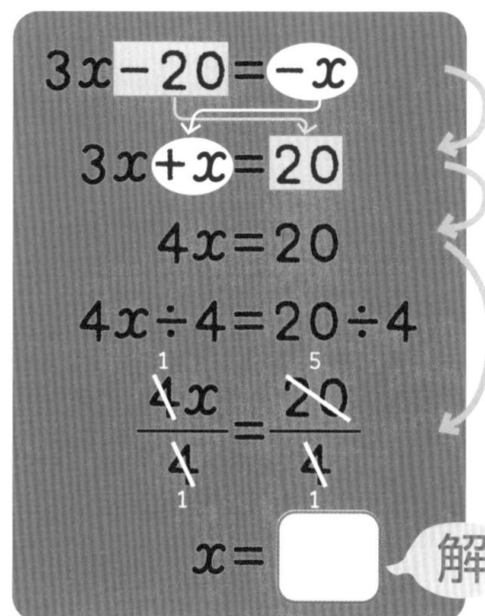

移項する。
x の項は左辺(さへん)へ，
数の項は右辺(うへん)へ。

両辺(りょうへん)を整理して，
$ax=b$ の形にする。

両辺を
x の係数(けいすう) 4 でわる。

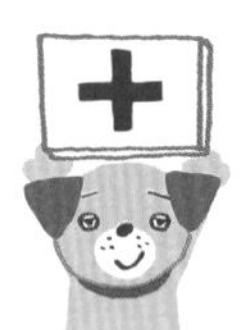

移項するとき，符号を変えるのを忘れやすいんだって！

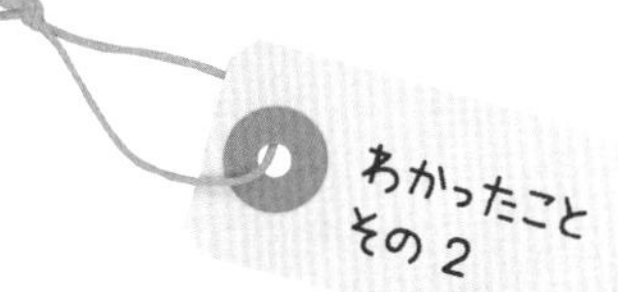

・方程式は，移項を利用して解くことができます。
・移項するとき，符号を変えることに注意します。

$x+3=7$
移項
$x=7-3$
符号を変える

まとめ

●方程式の解き方の手順

①移項する(ふつう，文字の項を左辺，数の項を右辺に)。
②両辺を整理して，$ax=b$ の形にする。
③両辺を x の係数 a でわる。

答え…$x=5$，$x=-2$，$x=5$

第12日 方程式を解いてみよう

たしかめよう

□や○にあてはまる数や式，符号を書きましょう。

等式の性質を使って，次の方程式を解きましょう。

① $x+5=12$

$x+5-\square=12-\square$ （等式の性質②）

$x=\square$

② $\dfrac{x}{4}=3$

$\dfrac{x}{4}\times\square=3\times\square$ （等式の性質③）

$x=\square$

等式の性質

$A=B$ のとき，

① $A+C=B+C$

② $A-C=B-C$

③ $A\times C=B\times C$

④ $A\div C=B\div C$

$(C\neq0)$

移項を利用して，次の方程式を解きましょう。

③ $x+4=3x-12$

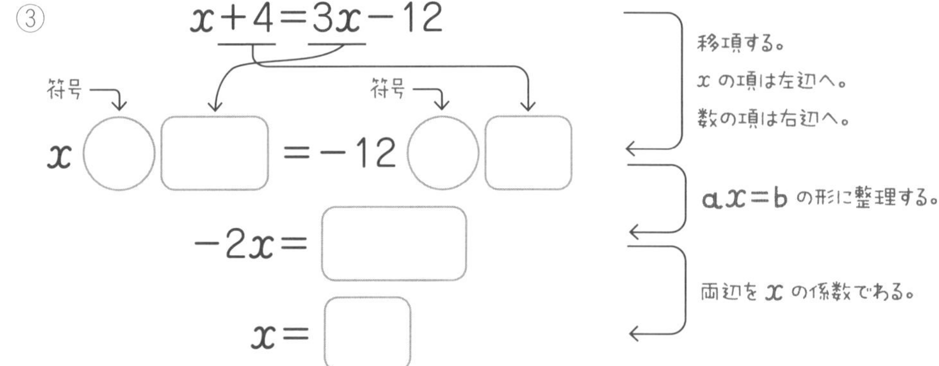

ここで差がつく・1

●こんな書き方しないでね！

たとえば，$3x-20=-x$

$=3x+x=20$

$=4x=20$

$=x=5$

と書く人がいるけど，先頭の「＝」はいりません。等式どうしは＝でつなげません！

方程式を解くとき，できるだけ「＝」は縦（たて）にそろえて書こう。

$3x-20=-x$

$3x+x=20$

$4x=20$

$x=5$

やってみよう

次の方程式を解きましょう。

① $x-3=9$

② $x+7=2$

③ $4x=-24$

④ $\frac{1}{3}x=30$

⑤ $3x=4x+21$

⑥ $16-5x=3x$

⑦ $4x-8=2x+12$

⑧ $12-2x=3x+7$

▶答えは別冊 10 ページ

● x の係数が分数のときは……

$\frac{3}{5}x=6$ のような，x の係数が分数の方程式では，両辺に **x の係数の逆数**をかけます。

$$\frac{3}{5}x=6$$
$$\frac{3}{5}x\times\frac{5}{3}=6\times\frac{5}{3}$$
$$x=10$$

●一次方程式とは

$ax=b$ の形に整理できる方程式を**一次方程式**といいます。

中 1 で勉強するのは，一次方程式だよ。

第1日 第2日 第3日 第4日 第5日 第6日 第7日 第8日 第9日 第10日 第11日 第12日 第13日 第14日

第13日 いろいろな方程式に挑戦！

学習日　　月　　日

かっこのある方程式を解こう

かっこのある方程式は，まず，かっこをはずそう。

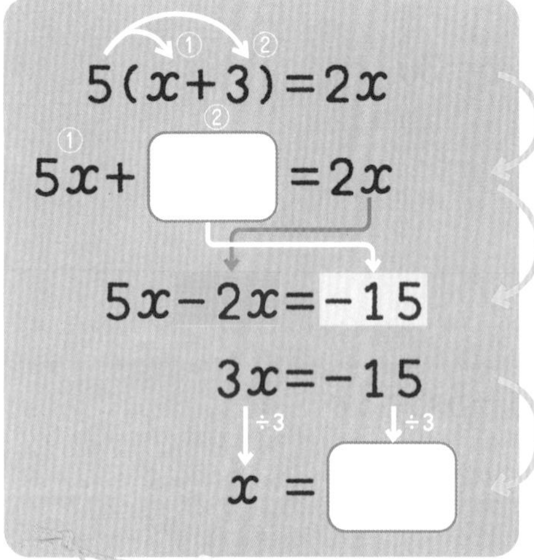

$5(x+3)=2x$
$5x+\square=2x$
$5x-2x=-15$
$3x=-15$
÷3　÷3
$x=\square$

分配法則でかっこをはずす。

移項する。x の項は左辺へ，数の項は右辺へ。

x の係数で両辺をわる。

かっこをはずせば
5 (x + 3) = 2 x
"5 x + 15 = 2 x"

12日目と同じような式になるね

わかったことその1

かっこがある方程式では，まず，
かっこをはずします。
かっこをはずすには，分配法則を使います。

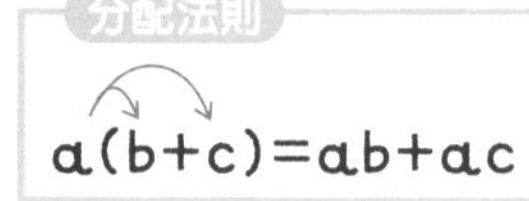

分配法則
a(b+c)=ab+ac

係数が小数や分数の方程式は？

とにかく，係数を整数に直すことから考えよう。
小数は，どうすれば整数になるかな？

$0.4x+2=0.8$
×10　×10　×10
$4x+20=\square$

両辺に 10 をかけて係数を整数に直す。
$(0.4x+2)\times10=0.8\times10$

$4x=8-20$

移項する。

$4x=-12$
÷4　÷4
$x=\square$

x の係数で両辺をわる。

等式の性質

$A=B$ のとき，
① $A+C=B+C$
② $A-C=B-C$
③ $A\times C=B\times C$
④ $A\div C=B\div C$
$(C\neq0)$

両辺に 10 をかけても，等式は成り立つんだ！

分数の係数があるときも，やっぱり係数を整数に直そう！

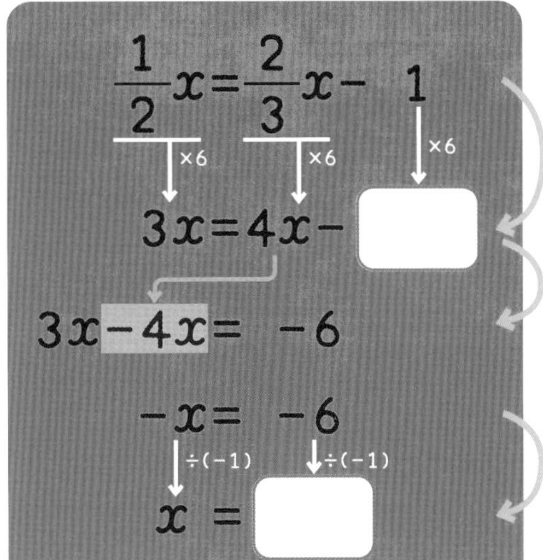

分母の 2 と 3 の最小公倍数 6 を両辺にかけて分母をはらう。

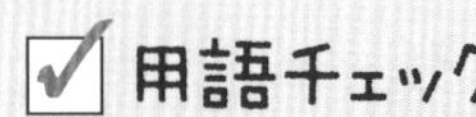

移項する。

x の係数で両辺をわる。

用語チェック

分母をはらう…係数に分数をふくむ方程式で，分母の公倍数を両辺にかけて，分数をふくまない形に変形すること。

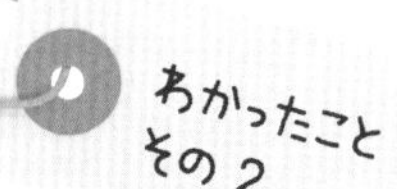

係数が，小数や分数のとき，72 ページの等式の性質③を使って，係数を整数に直すことがポイントだね。

・係数が小数のとき，両辺に 10 や 100 をかけると，係数が整数になって計算しやすくなります。

$0.4x+2=0.8$ 両辺に 10 をかけると $4x+20=8$

・係数が分数の方程式では，まず，分母をはらいます。分母をはらうとき，分母の最小公倍数を両辺にかけるとよいです。

$\frac{1}{2}x=\frac{2}{3}x-1$ 両辺に 6 をかけると $3x=4x-6$

●複雑な方程式の解き方

・かっこがある ⇨ 分配法則でかっこをはずす。
・係数が小数 ⇨ 両辺に 10，100 などをかけて，係数を整数に直してから計算する。
・係数が分数 ⇨ 両辺に分母の最小公倍数をかけて，分母をはらってから計算する。

答え…$5x+15=2x$，$x=-5$，$4x+20=8$，$x=-3$，$3x=4x-6$，$x=6$

第13日 いろいろな方程式に挑戦！

たしかめよう

□にあてはまる数や式を書きましょう。

かっこをはずして，次の方程式を解きましょう。

①
$$3(x+2)=5x$$
$$3x+\square=5x$$
$$3x\square=-6$$
$$-2x=-6$$
$$x=\square$$

かっこをはずす。
移項する。
x の係数で両辺をわる。

係数を整数に直して，次の方程式を解きましょう。

②
$$1.5x+0.6=1.8x$$
$$15x+\square=18x$$
$$15x-18x=\square$$
$$-3x=\square$$
$$x=\square$$

両辺に10をかける。
移項する。
x の係数で両辺をわる。

③
$$\frac{1}{4}x+5=\frac{3}{2}x$$
$$x+20=\square$$
$$x-6x=\square$$
$$-5x=\square$$
$$x=\square$$

両辺に4をかける。
移項する。
x の係数で両辺をわる。

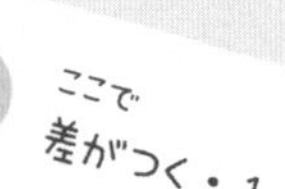

●分母をはらうときは，分母の最小公倍数を両辺にかけよう！

上の「たしかめよう」③で，分母の4と2の積8を両辺にかけても分母ははらえます。でも，

$$2x+40=12x$$

のように係数が大きくなるので，計算ミスをしやすくなります。分母をはらうときは，最小公倍数をかけるようにしよう。

やってみよう

次の方程式を解きましょう。

① $2(3x-4)=x+7$

② $3x-(x-5)=7$

③ $0.7x=0.5x+1$

④ $0.4x+1=0.2x-3$

⑤ $\frac{1}{2}x-\frac{2}{3}=x+\frac{1}{3}$

⑥ $\frac{1}{6}x-2=x-\frac{3}{4}$

▶答えは別冊 10 ページ

ここで
差がつく・2

●式の計算で，分母をはらってはダメ！

分母をはらうことができるのは，等式の性質を使っているから。式の計算では分母をはらうことはできません。

例 $\frac{1}{2}x+1-\frac{1}{3}x$ を計算しましょう。

$\frac{1}{2}x+1-\frac{1}{3}x=3x+6-2x=x+6$

計算しましょ
はらっちゃダメ！

第1日 第2日 第3日 第4日 第5日 第6日 第7日 第8日 第9日 第10日 第11日 第12日 第13日 第14日

第14日 方程式の文章題を解こう！

学習日　　月　　日

方程式(ほうていしき)の文章題は，まず，数量の関係をつかもう。次に x で表す数量を決めれば，方程式のでき上がり！　手順にしたがって解(と)いてみよう！

問　1 個 70 円のみかんと，1 個 150 円のりんごを合わせて 10 個買ったら代金は 1180 円でした。みかんとりんごをそれぞれ何個買いましたか。

問題文からわかることを整理しよう！

まずは，頭の中で問題を整理しよう。数量の関係を，図に表してみたりするのもいいよ。

①みかんとりんごを買った。

②みかんとりんごは合わせて 10 個。→ 合わせて 10 個

③代金は(合わせて)1180 円。→ 合わせて 1180 円

まだ，何かたりない？

③の 1180 円って，みかんの代金と，りんごの代金を「合わせて」ってことだね。

ことばの式で表してみよう！

みかんの代金＋りんごの代金＝円

それから，ものを買ったり売ったりするとき，

代金＝ 1 個の値段(ねだん)×個数　の関係があるよ。

②の関係を，まだ使っていないね。

x，x，x
方程式だから x がないと……。

みかんとりんごの個数を求める問題だから，
みかんかりんごかどっちかを x 個買ったとしてみよう。

みかんを x 個買ったことにしよーっと。

すると，りんごの個数は，……

(10－□)個

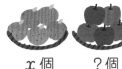

x 個　？個

みかん x 個の代金は……70×x 円
1個の値段　個数

りんご(10－□)個の代金は，……150×(10－□)円
1個の値段　個数

方程式をつくって，解いて，答えを求めよう！

解き方の手順

方程式をつくる
ことばの式にあてはめよう！
何を x としたか，ちゃんと書いておこう！

方程式を解く

解の検討(けんとう)をする
解が問題にあっているか調べよう！

答えを書く
単位をつけるのも忘れずに！

ここから答案用紙に書くんだよ。

みかんを x 個買ったとすると，方程式は，

$$70x+150(10-\square)=1180$$

みかんの代金　りんごの代金　代金の合計

$70x+150(10-x)=1180$
$70x+1500-150x=1180$
$70x-150x=1180-1500$
$-80x=-320$
$x=\square$

みかんの個数は自然数(しぜんすう)だから，方程式の解は問題にあっている。

りんごの個数は，10－□＝□

〈答え〉みかん……□個，りんご……□個

まとめ

●文章題の解き方の手順

まずは，頭の中で考えます。　ここがカンジン！

問題文をよく読んで数量の関係をつかもう！ ことばの式をつくるといいよ。 → x で表す数量を決めよう！ ふつうは，求めるものを x で表すよ。

ここから答案用紙に書きます。

方程式をつくる ことばの式にあてはめよう。 → 方程式を解く かっこや係数(けいすう)に気をつけて解こう。 → 解の検討をする 解が問題にあっているか，必ず確認しよう。 → 答えを書く 単位をつけたりして，答えを書こう。

答え…1180円，(10－x)個，150×(10－x)円，10－x，x=4，10－4=6，みかん…4個，りんご…6個

第14日 方程式の文章題を解こう！

たしかめよう

□にあてはまる数や式を書きましょう。

問題　一の位が 8 である 2 けたの整数があります。この整数の一の位の数と十の位の数を入れかえた整数は，もとの整数より 27 大きくなります。
もとの整数を求めましょう。

考え方　2 けたの整数，たとえば 52 は次のように表せます。

$$\underline{5}\underline{2}=50+2=\underline{5}\times10+\underline{2}$$

十の位の数は 5　一の位の数は 2　十の位の数　一の位の数

問題の一の位が 8 である 2 けたの整数は，十の位の数を x とすると，

$x\times10+8=10x+$ □ ……①

十の位と一の位を入れかえると……

この整数の一の位の数と十の位の数を入れかえた整数は，十の位の数が 8，一の位の数が x だから，

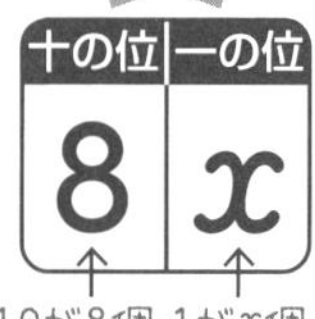

$8\times10+$ □ ……②

②は①より □ 大きいことから，方程式をつくります。

解答　もとの整数の十の位の数を x とすると，

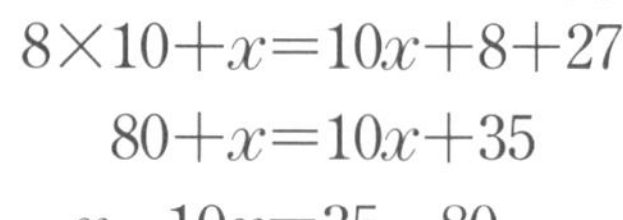

$8\times10+x=$ □ $+27$

$$8\times10+x=10x+8+27$$
$$80+x=10x+35$$
$$x-10x=35-80$$
$$-9x=-45$$
$$x=5$$

この方程式を解くと，$x=$ □

x は 1 けたの自然数だから，$x=5$ は問題にあっている。　十の位の数だから，1 ～ 9 のどれかの数。

答え □

ここで差がつく・1

●方程式の文章題でよく使われる数量の関係

・代金 ＝ 1 個の値段 × 個数

・道のり ＝ 速さ × 時間　　時間 $=\dfrac{道のり}{速さ}$　　速さ $=\dfrac{道のり}{時間}$

・十の位が a，一の位が b の 2 けたの自然数 → $10a+b$

・平均 $=\dfrac{合計}{個数}$

1 個の値段のことを「単価」っていうんだって。

やってみよう

問題　1個50円のガムと1個120円のプリンを合わせて20個買いました。代金の合計は1560円です。ガムとプリンはそれぞれ何個買いましたか。

答え　ガム……　　　　　　プリン……

問題　鉛筆(えんぴつ)を何人かの子どもに配ります。1人に6本ずつ配ると11本たりません。また，1人に5本ずつ配ると15本余ります。

(1)　子どもの人数を x 人として，1人に6本ずつ配ったときの全部の鉛筆の本数を，x を使って表しましょう。

(2)　子どもの人数と，全部の鉛筆の本数を求めましょう。

答え　子どもの人数……　　　　　　全部の鉛筆の本数……

▶答えは別冊11ページ

ここで差がつく・2

● 「解の検討(けんとう)」って必要なの？

個数を求める問題で，方程式の解が小数や分数になったら，方程式がまちがっていたり，方程式を解くところでまちがっている可能性があります。個数や人数は自然数(正の整数)だからです。

また，「～はいつですか？」という問題で，x 年後として問題を解いて解が「-2」となったとき，答えを「-2年後」ではなく「2年前」と言いかえて答えるような問題もあります。

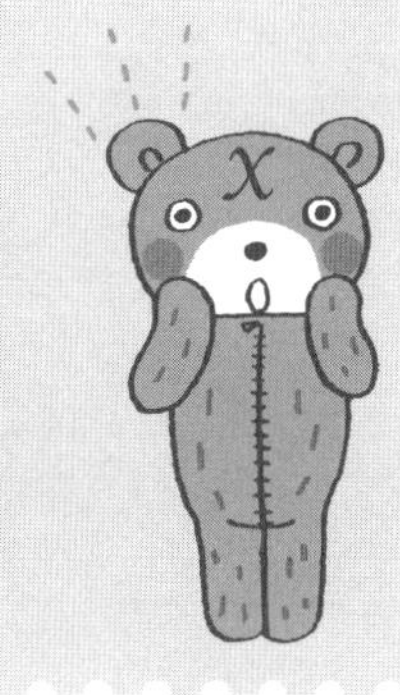

3章　方程式

仕上げドリル

範囲：第12日〜第14日

解答：別冊 p.12

「方程式」ってひびきも，おとなっぽいね。まだ方程式の基礎(きそ)なんだけど，どのくらいできるかな。

1 □にあてはまる数を書きましょう。 第12日　1つ2点（28点）

① $x-2=4$

$x-2+\square=4+\square$

$x=\square$

② $x+5=9$

$x+5-\square=9-\square$

$x=\square$

③ $\frac{1}{3}x=2$

$\frac{1}{3}x\times\square=2\times\square$

$x=\square$

④ $4x=20$

$4x\div\square=20\div\square$

$\frac{4x}{\square}=\frac{20}{\square}$

$x=\square$

2 次の方程式を解きましょう。 第12日〜第13日　1つ7点（42点）

① $x+7=4$

（　　　　）

② $2x-5=3$

（　　　　）

③ $x-12=4x+3$

④ $0.7x-1=1.3x+0.2$

(　　　)

(　　　)

⑤ $\frac{1}{3}x-1=\frac{1}{2}x+5$

⑥ $x-3=4(x+3)$

(　　　)

(　　　)

3 次の問いに答えましょう。 第14日 1つ10点（30点）

何人かの子どもが，長いすにすわります。1つのいすに3人ずつすわると，5人すわれません。1つのいすに4人ずつすわると，最後のいすは3人になります。

① いすの数を x 脚（きゃく）として，方程式（ほうていしき）をつくりましょう。

方程式（　　　）

② 方程式を解いて，いすの脚数と子どもの人数を，それぞれ求めましょう。

いす…（　　　）脚，子ども…（　　　）人

どれだけできたかな？
できなかった問題は
答えの解説を読んでおこう！

得点

/100点

たよりになる参考書を選ぼう！

中学校では勉強だけでなく部活動も一生けんめいがんばりたい！　ムリなくそしてムダなく効率よく勉強したい！　そんなキミたちには家で勉強するときに参考書が強い味方になるよ。

では，よい参考書を選ぶポイントは？　ここでは，多くの先輩からダントツで支持されている「ニューコース中１数学」を例にとって，参考書選びのポイントを紹介するよ。

01 教科書の要点がすぐわかる！

授業の内容も定期テストも，教科書が基本。だから，教科書の要点がすばやくつかめることが重要なポイントだよ。

授業の前に「教科書の要点」を見ておくだけで解き方の基本がつかめるから，短時間で予習ができて便利だったよ。

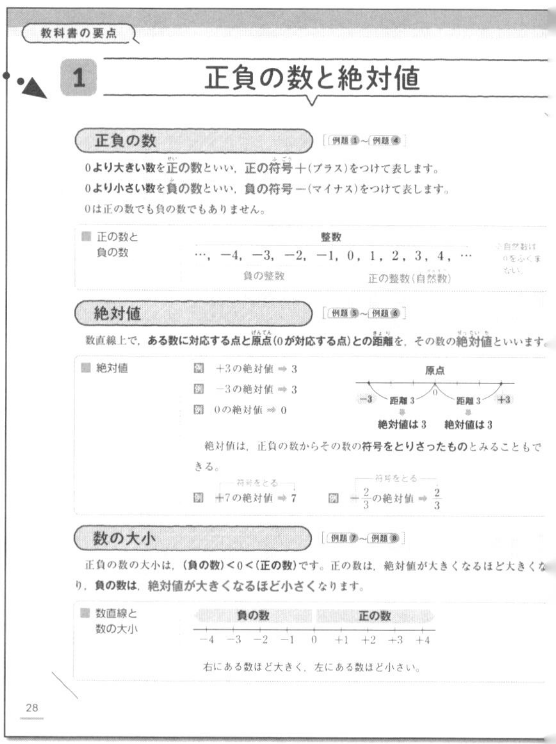

教科書の要点

1 正負の数と絶対値

正負の数　[例題1〜例題4]

0より大きい数を**正の数**といい，**正の符号**＋(プラス)をつけて表します。
0より小さい数を**負の数**といい，**負の符号**－(マイナス)をつけて表します。
0は正の数でも負の数でもありません。

■ 正の数と負の数

整数
…，－4，－3，－2，－1，0，1，2，3，4，…
負の整数　正の整数(自然数)

絶対値　[例題5〜例題6]

数直線上で，**ある数に対応する点と原点(0が対応する点)との距離**を，その数の**絶対値**といいます。

■ 絶対値

例 ＋3の絶対値 ⇒ 3
例 －3の絶対値 ⇒ 3
例 0の絶対値 ⇒ 0

原点
－3　距離3　0　距離3　＋3
絶対値は3　絶対値は3

絶対値は，正負の数からその数の**符号をとりさったもの**とみることもできる。

符号をとる
例 ＋7の絶対値 ⇒ 7
例 $-\frac{2}{3}$の絶対値 ⇒ $\frac{2}{3}$

数の大小　[例題7〜例題8]

正負の数の大小は，**(負の数)＜0＜(正の数)**です。正の数は，絶対値が大きくなるほど大きくなり，**負の数は，絶対値が大きくなるほど小さく**なります。

■ 数直線と数の大小

負の数　正の数
－4　－3　－2　－1　0　＋1　＋2　＋3　＋4
右にある数ほど大きく，左にある数ほど小さい。

28

02 定期テストに役立つ工夫がある

テストでミスの多い所の指摘や覚えておくとおトクな知識など，得点につながる情報があれば，時間のないときでも効率よくテスト対策ができるね。

テストでミスしやすいポイントが「確認」や「テストで注意」などで示してあったから，本番でのミスがずいぶん減ったわ。

自分にあった参考書・問題集選びを！

参考書や問題集の目的やレベルはそれぞれで異なる。

自分の目的やレベルにあったものを選べば，学習効果がより高まるよ。

03 例題がたっぷり！

数学の参考書でもっとも注目したいのが，例題の種類と豊富さ！　単に数が多いだけでなく，テストによく出る問題を中心に，基本から標準，応用までレベル別に分かれているなど，例題の並び方やとりあげ方に工夫がしてあると勉強しやすいよ。

例題が豊富だから，授業でやった問題や教科書の問題でわからないものがあるとき，解き方を調べるのにとても役立ったよ。解説がくわしく，教科書にはのっていない進んだ内容の説明もあるから，解けなかった問題も，ひとつひとつ理解することができたよ。

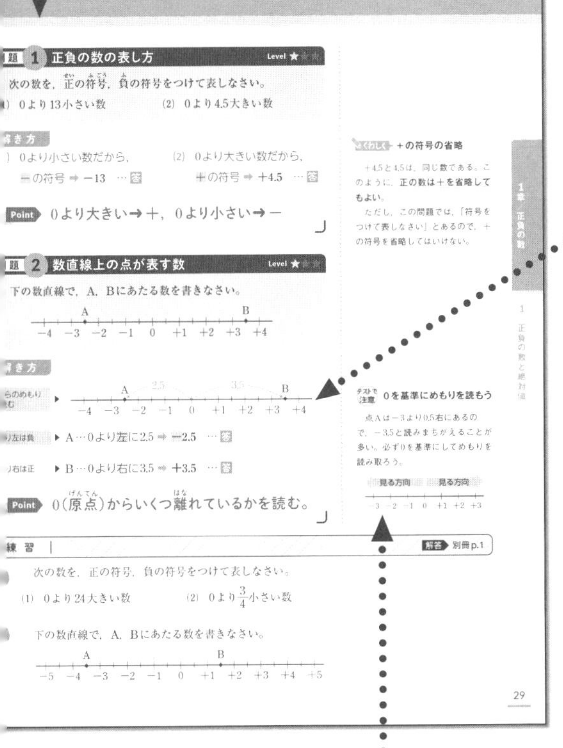

題 1 正負の数の表し方　Level ★

次の数を，正の符号，負の符号をつけて表しなさい。

(1) 0より13小さい数　(2) 0より4.5大きい数

解き方

(1) 0より小さい数だから，−の符号 ➡ −13 …答

(2) 0より大きい数だから，＋の符号 ➡ ＋4.5 …答

Point　0より大きい➡＋，0より小さい➡−

くわしく　＋の符号の省略

＋4.5と4.5は，同じ数である。このように，正の数は＋を省略してもよい。

ただし，この問題では，「符号をつけて表しなさい」とあるので，＋の符号を省略してはいけない。

題 2 数直線上の点が表す数　Level ★

下の数直線で，A，Bにあたる数を書きなさい。

解き方

0より左は負 ▶ A…0より左に2.5 ➡ −2.5 …答

0より右は正 ▶ B…0より右に3.5 ➡ ＋3.5 …答

Point　0(原点)からいくつ離れているかを読む。

テストで注意　0を基準にめもりを読もう

点Aは−3より0.5右にあるので，−3.5と読みまちがえることが多い。必ず0を基準にしてめもりを読み取ろう。

見る方向　見る方向

練習　解答 別冊p.1

次の数を，正の符号，負の符号をつけて表しなさい。

(1) 0より24大きい数　(2) 0より$\frac{3}{4}$小さい数

下の数直線で，A，Bにあたる数を書きなさい。

1章 正負の数　1 正負の数と絶対値

29

04 解き方がくわしい

そして，何より重要なのが例題の解き方がくわしくわかりやすいこと！

ただ数式が並んでいるだけでなく，なぜその式になるのか，なぜそう考えるのかなど，解き方の手順や考え方がくわしく解説してあると，家で勉強するときにとても役立つよ。

解き方の手順がつかみやすいから，少し難しい問題でも，解き方を理解しやすかったよ。

<超基礎>
中１数学をひとつひとつわかりやすく。

難しい用語を避けた，わかりやすい文章と図解が特長。書き込み式で，数学が苦手と感じる人でもムリなく学習が進められる。

<標準>
ニューコース問題集 中１ 数学

ニューコース参考書とペアで使うと効果的。覚えたことを問題を解いて試したり，弱点の発見にも。

定期テスト対策もバッチリ。

<標準〜応用>
パーフェクトコース参考書 わかるをつくる中学数学

中学３年間の学習内容を１冊にまとめた充実の参考書。高校で習う内容もさきどりしているので，一歩進んだ学習ができる。

■編集協力　西川かおり，池末翔太，野中祥平
■DTP　(株)明昌堂　データ管理コード　23-2031-2467（2023）
■表紙・本文デザイン　岡田恵理子
■表紙・本文イラスト　平山郁子

●この本は下記のように環境に配慮して製作しました。
・製版フィルムを使用しないCTP方式で印刷しました。
・環境に配慮した紙を使用しています。

2週間でさきどり追いつき　中学数学

 ①

2週間で

さきどり 追いつき 中学数学

別冊解答

答えと解き方

Gakken

◀◀◀ 本冊と軽くのりづけされていますので、はずしてお使いください。

第1日　正の数・負の数のたし算

たしかめよう

□や○にあてはまる数やことば，符号を書きましょう。　P.14

① (−5)+(−2)

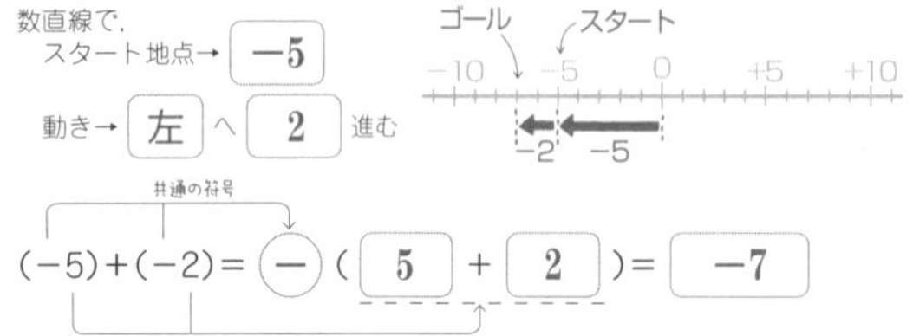

共通の符号

(−5)+(−2)= (−) (5 + 2)= −7

絶対値の和

② (−8)+(+3)

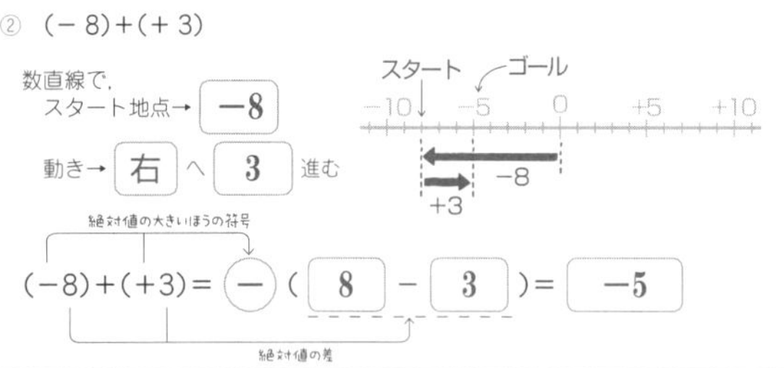

(−8)+(+3)= (−) (8 − 3)= −5

絶対値の差

やってみよう

次の計算をしましょう。　P.15

① $(-4)+(-2)$ ⇐負の数どうしの和
$=-(4+2)$
$=-6$
共通の符号　絶対値の和

② $(+8)+(+3)$
$=+(8+3)$
$=+11$

③ $(+7)+(-6)$
$=+(7-6)$
$=+1$
絶対値の大きいほうの符号
絶対値の大きいほうから小さいほうをひく

④ $(-18)+(+11)$
$=-(18-11)$
$=-7$

⑤ $(-9)+(+9)=0$
絶対値が等しく，符号がちがう2数の和はいつも0

⑥ $(-12)+0=-12$
0との和は，その数のまま

⑦ $(+0.9)+(-0.6)$
$=+(0.9-0.6)$
$=+0.3$

⑧ $\left(-\frac{3}{4}\right)+\left(+\frac{1}{2}\right)$
$=\left(-\frac{3}{4}\right)+\left(+\frac{2}{4}\right)$
$=-\left(\frac{3}{4}-\frac{2}{4}\right)=-\frac{1}{4}$
まず通分しよう

アドバイス

慣れるまでは，数直線にかきこんで考えよう。また，**絶対値**は，「正負の数の符号を取り去った数」と考えればよかったね。

やってみようの⑦や⑧のように，小数や分数の場合でも，絶対値の計算は小学校の計算と同じだよ。⑧の分数は，まず通分してから計算しよう。

第2日　正の数・負の数のひき算

たしかめよう

□や○にあてはまる数や符号を書きましょう。　 P.18

① (−5)−(+3)

たし算に直す

(−5)−(+3)=(−5) (+) ((−) 3)

符号を変える

= −8

−10　−5　0　+5　+10

−5

左へ3

② (−3)−(−9)

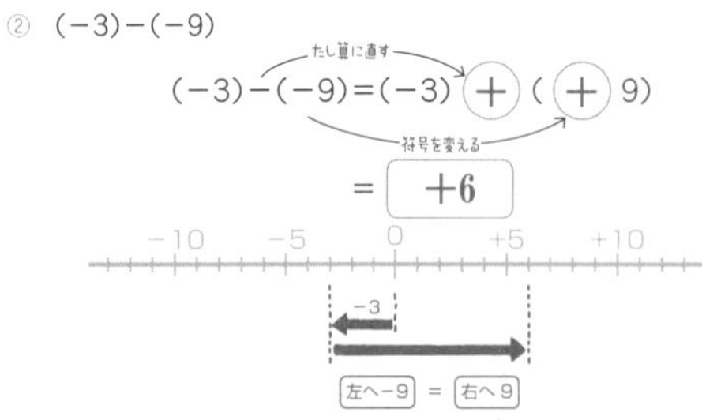

やってみよう

次の計算をしましょう。　P.19

① $(+6)-(-1)$ たし算になおす
$=(+6)+(+1)$ 符号を変える
$=+(6+1)$
$=+7$

② $(-7)-(+2)$
$=(-7)+(-2)$
$=-(7+2)$
$=-9$

③ $(+6)-(+7)$
$=(+6)+(-7)$
$=-(7-6)$
$=-1$

④ $(+13)-(-5)$
$=(+13)+(+5)$
$=+(13+5)$
$=+18$

⑤ $(-9)-(-9)$
$=(-9)+(+9)$
$=0$
同じ数どうしの差はいつも0

⑥ $0-(-15)$
$=0+(+15)$
$=+15$
0からひくひき算の差は，ひく数の符号を変えた数になる

⑦ $(+0.3)-(+0.6)$
$=(+0.3)+(-0.6)$
$=-(0.6-0.3)$
$=-0.3$
小数でも，整数のときと同じように計算できる

⑧ $\left(-\frac{1}{2}\right)-\left(+\frac{2}{3}\right)$
$=\left(-\frac{1}{2}\right)+\left(-\frac{2}{3}\right)$
$=\left(-\frac{3}{6}\right)+\left(-\frac{4}{6}\right)$
$=-\left(\frac{3}{6}+\frac{4}{6}\right)=-\frac{7}{6}$
2と3の最小公倍数6で通分

アドバイス

正負の数のひき算は，たし算に直して計算するよ。つまり，−(　)はかっこの中の符号を変えてたし算に直すんだね。

符号の変え方を確認しておこう！
−(+■)→+(−■)，−(−■)→+(+■)
たし算の計算なら，第1日と同じだね。

第3日 正負の数のたし算・ひき算

たしかめよう

□にあてはまる数を書きましょう。 P.22

① $(+8)-(+4)-(-2)+(-3)$

$=(+8)+(\boxed{-4})+(\boxed{+2})+(-3)$

（正の項／負の項／正の項／負の項）

$=(+8)+(\boxed{+2})+(\boxed{-4})+(-3)$

（正の項の和／負の項の和）

$=(+10)+(\boxed{-7})$

$=\boxed{+3}$

＋で結ばれた１つ１つの数が項だから，
正の項は → $\boxed{+8}$，$\boxed{+2}$
負の項は → $\boxed{-4}$，$\boxed{-3}$

② 次の式を，かっこをはぶいた式に直して計算しましょう。

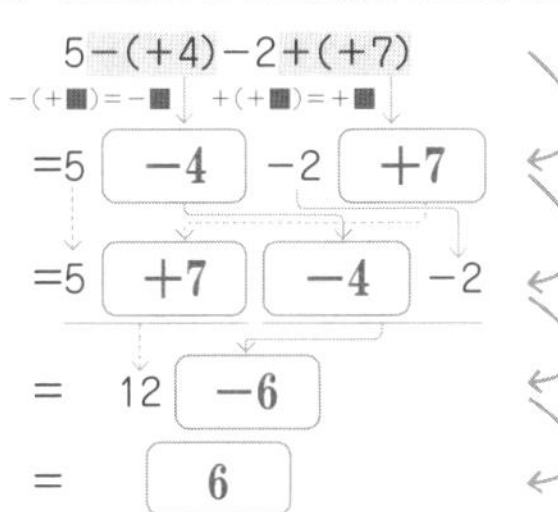

$5-(+4)-2+(+7)$

$-(+■)=-■$　$+(+■)=+■$

$=5\ \boxed{-4}\ -2\ \boxed{+7}$　かっこをはずす。

$=5\ \boxed{+7}\ \boxed{-4}\ -2$　正の項，負の項をそれぞれ集める。

$=12\ \boxed{-6}$　正の項，負の項をそれぞれ計算する。

$=\boxed{6}$　2数の計算をする。

やってみよう

次の計算をしましょう。  P.23

① $(+3)+(-4)-(-6)$
$=(+3)+(-4)+(+6)$
$=(+3)+(+6)+(-4)$
$=(+9)+(-4)=+5$

② $(-1)-(+3)-(-5)$
$=(-1)+(-3)+(+5)$
$=(-4)+(+5)$
$=+1$

③ $8-15$ ←$(+8)+(-15)$と（　）をつけた式に直してもよい
$=-(15-8)$
$=-7$

④ $-7-9$ ←かっこをつけると，$(-7)+(-9)$
$=-(7+9)$
$=-16$

⑤ $8-3+2$
$=8+2-3$
$=10-3$
$=7$

⑥ $-2+5+4-11$
$=5+4-2-11$
$=9-13$
$=-4$

⑦ $3+(-8)-12-(-14)$ ←かっこをつけた式では，
$(+3)+(-8)+(-12)+(+14)$
$=(+3)+(+14)+(-8)+(-12)$
$=(+17)+(-20)$
$=-(20-17)=-3$

$=3-8-12+14$
$=3+14-8-12$
$=17-20=-3$

⑧ $-1.5+(-0.8)-(-1.3)-1.1$
$=-1.5-0.8+1.3-1.1$
$=1.3-1.5-0.8-1.1$
$=1.3-3.4=-2.1$

アドバイス

たし算だけの式に直して，正の項と負の項をそれぞれまとめることがポイント！
正の項どうし，負の項どうしの和ならば，絶対値の和に＋または－の符号をつければいいね。
計算に慣れたら，かっこのない式の計算もスラスラできるといいね。

第4日 正負の数のかけ算

たしかめよう

□や○にあてはまる数や符号を書きましょう。 P.26

① $(+4)\times(-3)$
この２数は（同・㊕）符号だから，積の符号は → ⊖
（正しいほうに○）
$=\ominus(4\times3)=\boxed{-12}$

② $(-2)\times(+3)\times(-1)\times(-5)$
負の数が $\boxed{3}$ 個あるから，積の符号は → ⊖
$=\ominus(2\times3\times1\times5)=\boxed{-30}$

③ $(-2)^4$
式の意味は，$\boxed{-2}$ を４個かけ合わせたものだから，
指数を使わないで表すと，
$(-2)^4=(\boxed{-2})\times(\boxed{-2})\times(\boxed{-2})\times(\boxed{-2})$
$=\oplus(2\times2\times2\times2)$
$=\boxed{+16}$

やってみよう

次の計算をしましょう。 P.27

① $(-2)\times(-5)$
$=+(2\times5)$
$=+10$　$(-)\times(-)=(+)$

② $(+6)\times(-2)$
$=-(6\times2)$
$=-12$　$(+)\times(-)=(-)$

③ $(+0.5)\times(-3)$
$=-(0.5\times3)$
$=-1.5$

④ $\left(+\frac{1}{3}\right)\times\left(+\frac{1}{2}\right)$
$=+\left(\frac{1}{3}\times\frac{1}{2}\right)$
$=+\frac{1}{6}$

⑤ $(-3)\times(-4)\times(+2)$　負の数…２個
$=+(3\times4\times2)$
$=+24$　積の符号は(＋)

⑥ $(+2)\times(-1)\times(+7)\times(+3)$　負の数…１個
$=-(2\times1\times7\times3)$
$=-42$　積の符号は(－)

⑦ 3^2 ←３を２個かける
$=3\times3$
$=9$

⑧ $(-5)^3$ ←(-5)を３個かける
$=(-5)\times(-5)\times(-5)$
$=-(5\times5\times5)$
$=-125$

アドバイス

正負の数のかけ算は，答えの**符号の決め方**がポイントだね。２数のかけ算の符号の決め方も，３つ以上の数のかけ算も，符号の決め方は同じだと考えられるよ。要するに，

- **負の数が偶数個 → 答えの符号は＋**
- **負の数が奇数個 → 答えの符号は－**

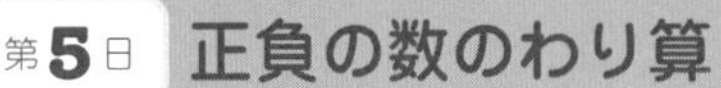

第5日 正負の数のわり算

たしかめよう

□や○にあてはまる数や符号を書きましょう。 P.30

① $(+12)\div(-4)$

この2数は（同・㊐異）符号だから，商の符号は → ㊀

（← 正しいほうに○）

$=\boxed{-}(12\div4)=\boxed{-3}$

② 次の数の逆数を求めましょう。

$\frac{3}{7}\to\boxed{\frac{7}{3}}$　　$-\frac{1}{4}\to\boxed{-4}$　　$-\frac{1}{4}\to-\frac{4}{1}=-4$

③ $\left(-\frac{3}{4}\right)\div\left(-\frac{2}{5}\right)$

わる数 $\boxed{-\frac{2}{5}}$ の逆数は $\boxed{-\frac{5}{2}}$ だから，

わる数の逆数をかけるかけ算に直すと，

$\left(-\frac{3}{4}\right)\div\left(-\frac{2}{5}\right)=\left(-\frac{3}{4}\right)\times\left(\boxed{-\frac{5}{2}}\right)$

$=\boxed{+\frac{15}{8}}$

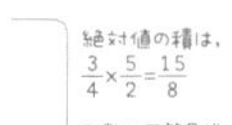

絶対値の積は，
$\frac{3}{4}\times\frac{5}{2}=\frac{15}{8}$
2数は同符号だから，
積の符号は＋

中学校では，帯分数に直さないで，仮分数のままにしておくよ。

やってみよう

次の計算をしましょう。 P.31

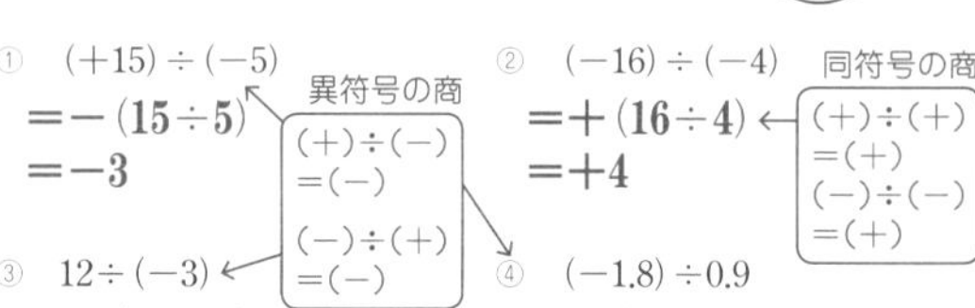

① $(+15)\div(-5)$
$=-(15\div5)$
$=-3$

異符号の商
$(+)\div(-)=(-)$
$(-)\div(+)=(-)$

② $(-16)\div(-4)$
$=+(16\div4)$
$=+4$

同符号の商
$(+)\div(+)=(+)$
$(-)\div(-)=(+)$

③ $12\div(-3)$
$=-(12\div3)$
$=-4$

④ $(-1.8)\div0.9$
$=-(1.8\div0.9)$
$=-2$

⑤ $\left(+\frac{1}{3}\right)\div\left(+\frac{1}{2}\right)$
$=\left(+\frac{1}{3}\right)\times(+2)$　逆数をかけるかけ算に直す
$=+\left(\frac{1}{3}\times2\right)=+\frac{2}{3}$

⑥ $\left(+\frac{1}{2}\right)\div\left(-\frac{3}{5}\right)$
$=\left(+\frac{1}{2}\right)\times\left(-\frac{5}{3}\right)$　かけ算に直す
$=-\left(\frac{1}{2}\times\frac{5}{3}\right)=-\frac{5}{6}$

⑦ $-8\div\left(-\frac{2}{3}\right)$
$=-8\times\left(-\frac{3}{2}\right)$　かけ算に直す
$=+\left(8\times\frac{3}{2}\right)$　同符号の2数の積→(＋)
$=+\frac{\overset{4}{\cancel{8}}\times3}{\underset{1}{\cancel{2}}}=+12$

⑧ $(-21)\div\frac{3}{7}$
$=-21\times\frac{7}{3}$　かけ算に直す
$=-\frac{\overset{7}{\cancel{21}}\times7}{\underset{1}{\cancel{3}}}$　異符号の2数の積→(−)
$=-49$

アドバイス

正負の数のわり算の符号の決め方は，かけ算と同じだね。

分数でわるわり算は，逆数をつくってかけ算に直して計算するのがポイント！　分母と分子を入れかえれば逆数ができるけど，符号は変えないように十分注意しよう！

第6日 いろいろな計算に挑戦！

たしかめよう

□や○にあてはまる数や符号を書きましょう。 P.34

① $\frac{2}{3}\times10\div\left(-\frac{5}{6}\right)$

$=\frac{2}{3}\times10\times\left(\boxed{-\frac{6}{5}}\right)$　かけ算だけの式に直す。

$=\boxed{-}\left(\frac{2}{3}\times10\times\frac{6}{5}\right)$　符号を決める。

$=-\frac{2\times\overset{2}{\cancel{10}}\times\overset{2}{\cancel{6}}}{\underset{1}{\cancel{3}}\times\underset{1}{\cancel{5}}}$　絶対値の計算をする。

$=\boxed{-8}$

② $-6\div(2-4)-5^2$

$=-6\div(\boxed{-2})-\boxed{25}$　かっこの中・累乗を計算する。

$=\boxed{3}-\boxed{25}$　わり算を計算する。

$=\boxed{-22}$　ひき算を計算する。

やってみよう

次の計算をしましょう。 P.35

① $5\div(-6)\times12$
$=5\times\left(-\frac{1}{6}\right)\times12$　わり算をかけ算に直す
$=-\frac{5\times1\times\overset{2}{\cancel{12}}}{\underset{1}{\cancel{6}}}=-10$

② $\left(-\frac{1}{2}\right)\times4\div\left(-\frac{2}{3}\right)$
$=\left(-\frac{1}{2}\right)\times4\times\left(-\frac{3}{2}\right)$
$=+\frac{1\times\overset{2\,1}{\cancel{4}}\times3}{\underset{1}{\cancel{2}}\times\underset{1}{\cancel{2}}}=+3$

③ $8-6\div2+3$
$=8-3+3$　わり算を先に計算
$=8$

④ $(-3)\times4-5\times(-2)$
$=-12-(-10)$　かけ算を先に計算
$=-12+10$
$=-2$

⑤ $4\div(-0.5)-6\times\frac{1}{3}$　（ひき算）
$=-8-2$　わり算とかけ算を先に計算
$=-10$

⑥ $5-3\times(4-7)$
$=5-3\times(-3)$　（　）の中を先に計算
$=5-(-9)$　かけ算を計算
$=5+9=14$

⑦ $(-2)^3+(-4)\times5$　（たし算）
$=-8+(-20)$　累乗とかけ算を先に計算
$=-8-20$
$=-28$

⑧ $8\div(-2^2)\times(5-8)$
$=8\div(-4)\times(-3)$　累乗，（　）の中を計算
$=8\times\left(-\frac{1}{4}\right)\times(-3)$
$=+\left(\overset{2}{\cancel{8}}\times\frac{1}{\underset{1}{\cancel{4}}}\times3\right)=+6$

アドバイス

わり算はかけ算に直して計算するのが基本！

四則の混じった計算は，**乗除→加減**の順に計算するよ。ただし，累乗や（　）があれば乗除の前に計算しておこう。

やってみようの⑤では，$4\div(-0.5)$ は，$4\div\left(-\frac{1}{2}\right)=4\times(-2)$ と，小数を分数に直して計算しよう。

P.36~37

範囲：第1日～第6日

1 数直線上に，次の点をかきましょう。 第1日 　1つ3点　12点

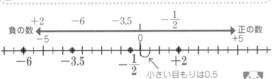

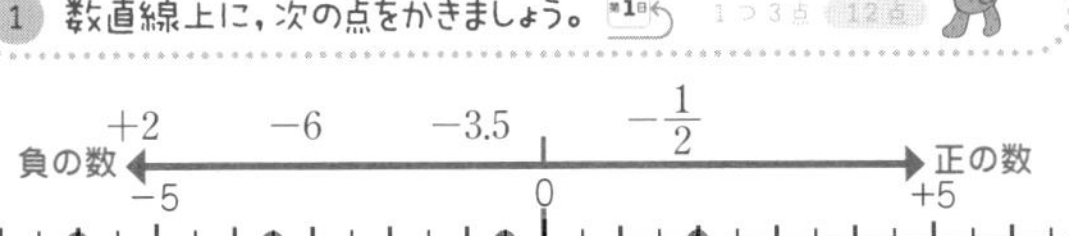

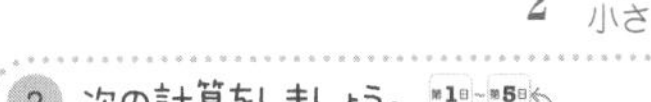

2 次の計算をしましょう。 第1日～第5日 　1つ6点　60点

① $(+8)+(-6)$
$=+(8-6)$
$=+2$
（ +2 ）

② $(+6)-(+11)$
$=(+6)+(-11)$ ←ひく数の符号を変えてたし算に直す
$=-(11-6)$
$=-5$
（ −5 ）

③ $(-4)-(-9)+(-8)$
$=(-4)+(+9)+(-8)$
$=(+9)+(-12)$
$=-3$
（ −3 ）

④ $-7+3-8$
$=3-7-8$ ←負の項の和を求める
$=3-15$
$=-12$
（ −12 ）

⑤ $11+(-9)-3+4$
$=11-9-3+4=11+4-9-3$（正の項　負の項）
$=15-12$
$=3$
（ 3 ）

⑥ $(+3)\times(-7)$　$(+)\times(-)=(-)$
$=-(3\times7)$
$=-21$
（ −21 ）

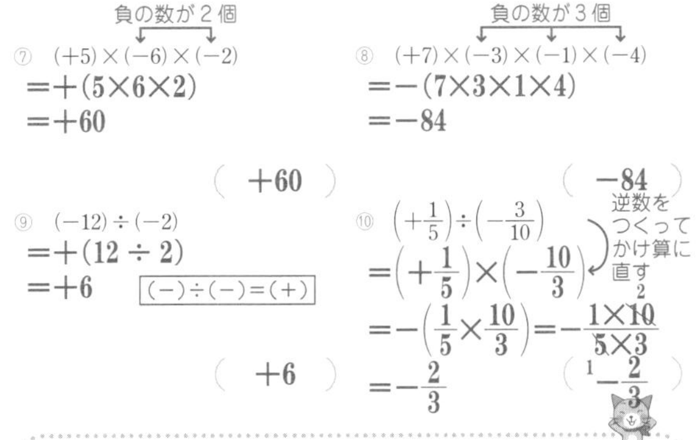

⑦ $(+5)\times(-6)\times(-2)$　（負の数が2個）
$=+(5\times6\times2)$
$=+60$
（ +60 ）

⑧ $(+7)\times(-3)\times(-1)\times(-4)$　（負の数が3個）
$=-(7\times3\times1\times4)$
$=-84$
（ −84 ）

⑨ $(-12)\div(-2)$
$=+(12\div2)$
$=+6$　$(-)\div(-)=(+)$
（ +6 ）

⑩ $\left(+\frac{1}{5}\right)\div\left(-\frac{3}{10}\right)$
$=\left(+\frac{1}{5}\right)\times\left(-\frac{10}{3}\right)$ ←逆数をつくってかけ算に直す
$=-\left(\frac{1}{5}\times\frac{10}{3}\right)=-\frac{1\times10}{5\times3}$
$=-\frac{2}{3}$
（ $-\frac{2}{3}$ ）

3 次の計算をしましょう。 第6日 　1つ7点　28点

① $4\div(-3)\times15$
$=4\times\left(-\frac{1}{3}\right)\times15$ ←わり算はかけ算に直す
$=-\frac{4\times1\times15}{3}$ ←ここで約分
$=-20$
（ −20 ）

② $8\times\left(-\frac{1}{2}\right)-6\div\left(-\frac{1}{3}\right)$
$=8\times\left(-\frac{1}{2}\right)-6\times(-3)$
$=-4+18$ ←かけ算を先に計算
$=14$
（ 14 ）

③ $15-2\times(4-9)$
$=15-2\times(-5)$ ←（ ）の中を計算
$=15+10$ ←かけ算を計算
$=25$
（ 25 ）

④ $(-3)^2\div(5-8)-6$
$=9\div(-3)-6$ ←累乗と（ ）の中を計算
$=-3-6$ ←わり算を計算
$=-9$
（ −9 ）

解き方

1 負の数では，絶対値が大きいほど，小さい数になります。
問題の数直線の小さい目もりは，1目もり0.5であることに注意しましょう。

2 ①～⑤　正負の数のたし算は，次のように計算します。
●同じ符号の2数のたし算
絶対値の和に共通の符号をつける。
●ちがう符号の2数のたし算
絶対値の差に絶対値が大きいほうの符号をつける。⇨例①
ひき算や，**たし算・ひき算が混じった計算**は，ひく数の符号を変えてたし算に直します。そして，正の項どうし，負の項どうしをまとめます。
⇨例③　$(-4)-(-9)+(-8)$
$=(-4)+(+9)+(-8)$　まとめる
$=(+9)+(-12)=-(12-9)=-3$

⑥～⑩　**正負の数の2数のかけ算**の符号の変化を確認しておきましょう。

$(+)\times(+)=(+)$，$(+)\times(-)=(-)$
$(-)\times(-)=(+)$，$(-)\times(+)=(-)$

2数のわり算の符号の変化もかけ算と同じです。
3つ以上の数のかけ算は，絶対値の積に
・負の数が偶数個…＋をつける。⇨例⑦
・負の数が奇数個…－をつける。⇨例⑧
わり算は，わる数の逆数をつくってかけ算に直して計算することもできます。とくに，わる数が分数のときはかけ算に直します。⇨例⑩

3 ①　**かけ算とわり算の混じった計算**は，かけ算だけの式に直して計算します。
②　たし算・ひき算・かけ算・わり算**(四則)の混じった計算**は，かけ算・わり算を先に計算します。
③，④　**かっこや累乗がある計算**は，かけ算・わり算の前に，かっこ・累乗を計算します。
（ ）・累乗 → ×・÷ → ＋・－

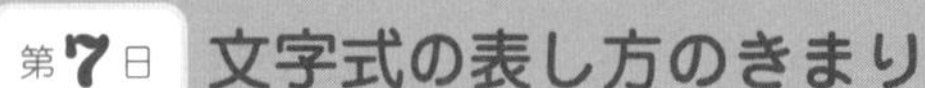

第7日 文字式の表し方のきまり

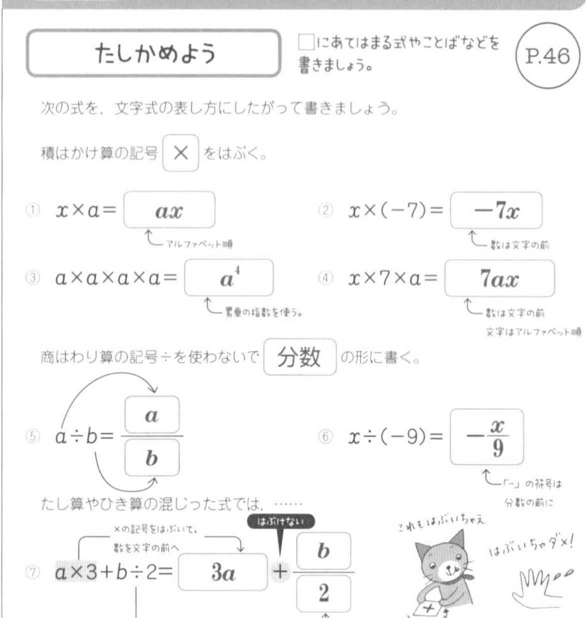

たしかめよう

□にあてはまる式やことばなどを書きましょう。 P.46

次の式を，文字式の表し方にしたがって書きましょう。

積はかけ算の記号 ［×］ をはぶく。

① $x \times a =$ ［ax］ ← アルファベット順

② $x \times (-7) =$ ［$-7x$］ ← 数は文字の前

③ $a \times a \times a \times a =$ ［a^4］ ← 累乗の指数を使う。

④ $x \times 7 \times a =$ ［$7ax$］ ← 数は文字の前 文字はアルファベット順

商はわり算の記号÷を使わないで ［分数］ の形に書く。

⑤ $a \div b = \dfrac{a}{b}$

⑥ $x \div (-9) =$ ［$-\dfrac{x}{9}$］ ← 「－」の符号は分数の前に

たし算やひき算の混じった式では，……

⑦ $a \times 3 + b \div 2 =$ ［$3a$］ ＋ ［$\dfrac{b}{2}$］

×の記号をはぶいて，数を文字の前へ　はぶけない　分数の形に

やってみよう

次の各式を，文字式の表し方にしたがって書きましょう。 P.47

① $a \times b \times (-1)$
$= (-1) \times ab$
$= -ab$
×の記号をはぶき，数は文字の前へ

② $x \times y \times y \times (-3)$
$= -3xy^2$
← 同じ文字の積は累乗の指数を使って表す

③ $(x+3) \times 4$
$= 4(x+3)$
かっこのついた式は1つの文字のように考える

④ $(a-2) \div 4$
$= \dfrac{a-2}{4}$ ← 分子の式にはかっこはつけない
商は÷の記号を使わないで，分数の形に書く

⑤ $a \times b \div 2$
$= ab \div 2$
$= \dfrac{ab}{2}$
左から順に，×の記号をはぶく
分数の形に

⑥ $x \div (-1) \times y$
$= -\dfrac{x}{1} \times y$
$= -x \times y$
$= -xy$

⑦ $x \times 2 - 7 \times y$
$= 2x - 7y$
← ひき算の記号ははぶけない

⑧ $a \times 2 + b \div 4$
$= 2a + \dfrac{b}{4}$
← たし算の記号ははぶけない

アドバイス

文字式の表し方の基本は，×の記号をはぶき，数を文字の前に書くことだよ。わり算の部分は分数の形に書くんだったね。

［やってみよう］①のように，文字式では数字の1ははぶくけど，－の符号ははぶけないよ。

－1については，⑥のような場合も注意しよう。

第8日 文字に数をあてはめよう

たしかめよう

□にあてはまる数や式を書きましょう。 P.50

① $x=2$ のとき，$3x-5$ の値を求めましょう。

$3x-5$
$=$ ［$3 \times x$］ -5 ← 「×」の記号を使って表す。
$= 3 \times$ ［2］ -5 ← $x=2$ を代入する。
かけ算を先に計算。
$=$ ［6］ $-5 =$ ［1］ ← 数の計算をする。

② $x=-3$ のとき，$4-2x$ の値を求めましょう。

$4-2x = 4-$ ［$2 \times x$］ ← 「×」を使った式に直す。
$= 4-2 \times$ ［(-3)］ ← $x=-3$ を，かっこをつけて代入する。
かけ算を先に計算。
$= 4+$ ［6］ $=$ ［10］ ← 数の計算をする。

③ $x=-2$ のとき，$6-x^3$ の値を求めましょう。

$6-x^3$
$= 6-$ ［$(-2)^3$］ ← $x=-2$ を，かっこをつけて代入する。
$= 6-($［-8］$) = 6+$ ［8］ $=$ ［14］ ← 累乗→ひき算 の順に，数の計算をする。

やってみよう

次の計算をしましょう。 P.51

$a=6$ のとき，次の式の値を求めましょう。

① $2a-3$
$= 2 \times a - 3$
$= 2 \times 6 - 3$
$= 12 - 3 = 9$
×を使った式に直す

② $16-3a$
$= 16 - 3 \times a$
$= 16 - 3 \times 6$
$= 16 - 18 = -2$

$x=-2$ のとき，次の式の値を求めましょう。⇐負の数は，（　）をつけて代入する

③ $3x+7$
$= 3 \times x + 7$
$= 3 \times (-2) + 7$
$= -6 + 7 = 1$

④ $12-2x$
$= 12 - 2 \times x$
$= 12 - 2 \times (-2)$
$= 12 + 4 = 16$

⑤ $9-2x^2$
$= 9 - 2 \times x^2$
$= 9 - 2 \times (-2)^2$
$= 9 - 2 \times 4 = 9 - 8 = 1$

⑥ x^3+7
$= (-2)^3 + 7$
$= -8 + 7$
$= -1$

$x=\dfrac{2}{5}$ のとき，次の式の値を求めましょう。

⑦ $8-25x$
$= 8 - 25 \times x$
$= 8 - 25 \times \dfrac{2}{5} = 8 - \dfrac{\overset{5}{\cancel{25}} \times 2}{\underset{1}{\cancel{5}}}$
$= 8 - 10 = -2$

⑧ $1+x^2$
分数全体に（　）をつけて代入する
$= 1 + \left(\dfrac{2}{5}\right)^2 = 1 + \dfrac{4}{25}$
$= \dfrac{25}{25} + \dfrac{4}{25} = \dfrac{29}{25}$

アドバイス

文字式に「数を代入」して，「式の値」を求める方法をしっかり理解しよう。

負の数や分数は，いつもかっこをつけて代入する，と考えよう。

［やってみよう］①で $2a-3$ に $a=6$ を代入して，26－3 なんてミスに注意！　×の記号がはぶかれているよ。

第9日 文字式のたし算・ひき算

たしかめよう

□にあてはまる数や式を書きましょう。 P.54

次の式の項と係数を書きましょう。

① $a+2b-\frac{2}{3}$

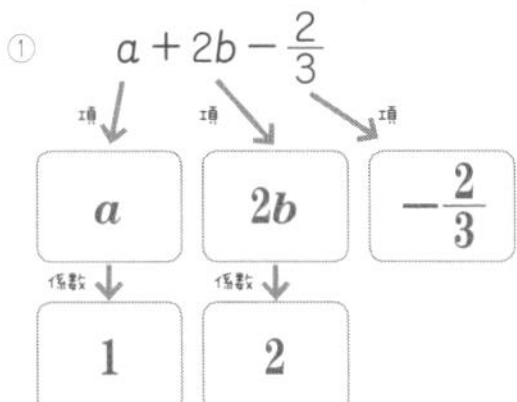

② $\frac{x}{2}-y+7$

項：$\frac{x}{2}$　$-y$　7

係数：$\frac{1}{2}$　-1

次の計算をしましょう。

③ $5x-x=(\ 5-1\ )x=\ 4x$

係数どうしを計算

④ $3a+2-(4a-7)$

$=3a+2-\ 4a+7$　　−(　)は(　)の中の各項の符号を変えてかっこをはずす。

$=(\ 3-4\ )a+2+7$　　文字の項，数の項をそれぞれまとめる。

$=\ -a+9$

やってみよう

次の計算をしましょう。  P.55

① $7x+x$
$=(7+1)x$　係数どうしを計算
$=8x$

② $8a-7a$
$=(8-7)a$　係数どうしを計算
$=a$

③ $-11x-13x$
$=(-11-13)x$　係数どうしを計算
$=-24x$

④ $-\frac{2}{5}a+\frac{1}{2}a$
$=\left(-\frac{2}{5}+\frac{1}{2}\right)a=\left(-\frac{4}{10}+\frac{5}{10}\right)a$
$=\frac{1}{10}a$　5と2の最小公倍数10で通分

⑤ $7x-11-3x+5$
$=7x-3x-11+5$
$=(7-3)x-11+5$
$=4x-6$

⑥ $2a-b+2b-5a$
$=2a-5a-b+2b$
$=(2-5)a+(-1+2)b$
$=-3a+b$

⑦ $(4x-3)+(3x+8)$
$=4x-3+3x+8$　+(　)はそのまま(　)をはずす。
$=4x+3x-3+8$
$=(4+3)x-3+8$
$=7x+5$

⑧ $(8a-11)-(5a-3)$
$=8a-11-5a+3$　−(　)は符号に注意！
$=8a-5a-11+3$
$=(8-5)a-11+3$
$=3a-8$

アドバイス　文字の部分が同じ項は，**係数の和・差に共通な文字をつける**よ。数の項がある場合は，文字の項，数の項をそれぞれまとめればよかったね。やってみよう⑦⑧のかっこのはずし方を確認しておこう。

+(　)→そのままはずす

−(　)→各項の符号を変えてはずす

第10日 文字式のかけ算・わり算

たしかめよう

□にあてはまる数や式を書きましょう。 P.58

次の計算をしましょう。

① $5x\times3=5\times x\times3=\ 5\ \times\ 3\ \times\ x\ =\ 15x$

数どうしを先に計算。

② $-4a\times5=-4\times a\times5=\ -4\ \times\ 5\ \times\ a\ =\ -20a$

数どうしを先に計算。

③ $12a\div(-3)=\frac{12a}{-3}=-\frac{\overset{4}{\cancel{12}}\times a}{\underset{1}{\cancel{3}}}$

分数の形に。　数どうしで約分。

$=-\ 4\ \times\ a\ =\ -4a$

④ $21x\div\left(-\frac{7}{8}\right)=21x\times\left(-\frac{8}{7}\right)$

逆数をつくって，かけ算に直す。

$=21\times\left(-\frac{8}{7}\right)\times x$

$=\ -24x$

$-21\times\frac{8}{7}\times x$

$=-\frac{\overset{3}{\cancel{21}}\times8}{\underset{1}{\cancel{7}}}\times x$

係数の積に文字をかける。

やってみよう

次の計算をしましょう。 P.59

① $3x\times4$
$=3\times x\times4$
$=3\times4\times x$
$=12x$
数どうしの積に文字をかける

② $-7x\times3$
$=-7\times x\times3$
$=-7\times3\times x$
$=-21x$

③ $2a\times(-6)$
$=2\times a\times(-6)$
$=2\times(-6)\times a$
$=-12a$

④ $-4a\times\frac{1}{2}$
$=-4\times a\times\frac{1}{2}$
$=-4\times\frac{1}{2}\times a=-2a$

⑤ $8x\div4$
$=\frac{8x}{4}$
$=\frac{\overset{2}{\cancel{8}}\times x}{\underset{1}{\cancel{4}}}=2x$
わり算は，まず分数の形にする

⑥ $-15a\div3$
$=\frac{-15a}{3}=-\frac{\overset{5}{\cancel{15}}\times a}{\underset{1}{\cancel{3}}}$
$=-5a$

⑦ $-3a\div\frac{1}{2}$
$=-3a\times\frac{2}{1}$
$=-3\times a\times2$
$=-3\times2\times a=-6a$

⑧ $-24x\div\left(-\frac{3}{4}\right)$
$=-24x\times\left(-\frac{4}{3}\right)$
$=-24\times\left(-\frac{4}{3}\right)\times x=\frac{\overset{8}{\cancel{24}}\times4}{\underset{1}{\cancel{3}}}\times x$
$=32x$

アドバイス　項が1つだけの文字式に数をかけるには，**数どうしの積に文字をかける**んだよ。

数でわる計算は，**分数の形にして数どうし約分**するか，**わる数の逆数をつくってかけ算に直す**といいね。やってみよう⑦⑧はできたかな？　ミスした人は，計算のしかたをよく見て，理解しておこう。

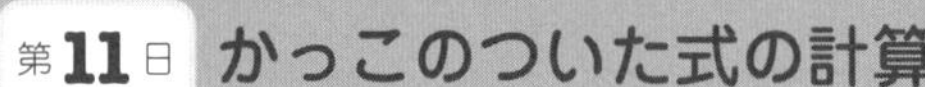

第11日 かっこのついた式の計算

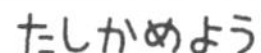

たしかめよう

□にあてはまる数や式を書きましょう。 P.62

次の計算をしましょう。

分配法則でかっこをはずす。

① $-2(3a+5)=-2\times\boxed{3a}+(\boxed{-2})\times 5$

数の計算をする。

$=\boxed{-6a-10}$

分配法則でかっこをはずす。

② $(3x-15)\div\left(-\frac{3}{4}\right)=(3x-15)\times\left(\boxed{-\frac{4}{3}}\right)$

逆数をつくって，かけ算に直す。

$=3x\times\left(\boxed{-\frac{4}{3}}\right)-15\times\left(\boxed{-\frac{4}{3}}\right)=\boxed{-4x+20}$

③ $2(4a-1)-3(a-2)$

$=2\times4a-2\times1\ -3\times a-(-3)\times2$

前の式と後ろの式の，かっこをそれぞれはずす（分配法則）。

$=8a-2\ -3a\ \boxed{+6}$

文字の項，数の項をそれぞれまとめる。

$=\boxed{5a+4}$

やってみよう

次の計算をしましょう。 P.63

① $3(x+4)$
$=3\times x+3\times4$
$=3x+12$

② $-5(2a+1)$
$=-5\times2a+(-5)\times1$
$=-10a-5$

③ $6(b-3)$
$=6\times b-6\times3$
$=6b-18$

④ $(9x-12)\div3$
$=(9x-12)\times\frac{1}{3}$
$=9x\times\frac{1}{3}-12\times\frac{1}{3}$
$=3x-4$

⑤ $(4a-6)\div(-2)$
$=(4a-6)\times\left(-\frac{1}{2}\right)$
$=4a\times\left(-\frac{1}{2}\right)-6\times\left(-\frac{1}{2}\right)$
$=-2a+3$

⑥ $(20b-8)\div\frac{4}{5}$
$=(20b-8)\times\frac{5}{4}$
$=20b\times\frac{5}{4}-8\times\frac{5}{4}$
$=25b-10$

⑦ $5(x-3)+3(3x+5)$
$=5\times x-5\times3+3\times3x+3\times5$
$=5x-15+9x+15$
$=5x+9x-15+15$
$=14x$

⑧ $4(a+3)-2(3a-6)$
$=4\times a+4\times3-2\times3a-(-2)\times6$
$=4a+12-6a+12$
$=4a-6a+12+12$
$=-2a+24$

符号に注意！

アドバイス

分配法則 $a(b+c)=ab+ac$ を使ってかっこをはずすんだね。かっこのついた式を数でわる計算は，わる数の逆数をつくってかけ算に直せば，分配法則が使えるよ。

やってみよう⑧のうしろの式のかっこをはずすとき，符号のミスが多いので十分注意しよう！

やったぁ〜！
正負の数も文字式も
できるようになったよ。

これで，バッチリOK！

まだ，3章があるよ。
3章は「方程式」

えっ！　まだあるの？
中学って，おくが深いなあ〜。

第2章 文字と式 仕上げドリル

P.64～65

範囲：第7日～第11日

1 文字式の表し方で書きましょう。 第7日 1つ3点 12点

① $x\times(-1)\times a$

$=(-1)\times ax$

$=-ax$ （ $-ax$ ）

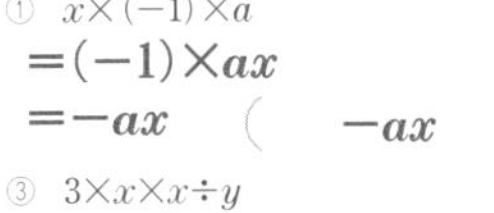

② $m\div 4\times n$

$=\dfrac{m}{4}\times n$

$=\dfrac{mn}{4}$ （ $\dfrac{mn}{4}$ ）

③ $3\times x\times x\div y$

$=3\times x^2\div y$

$=\dfrac{3x^2}{y}$ （ $\dfrac{3x^2}{y}$ ）

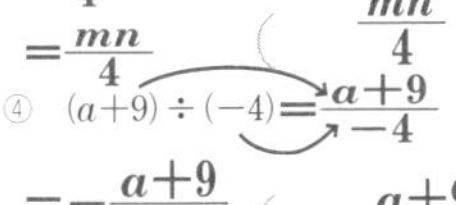

④ $(a+9)\div(-4)=\dfrac{a+9}{-4}$

$=-\dfrac{a+9}{4}$ （ $-\dfrac{a+9}{4}$ ）

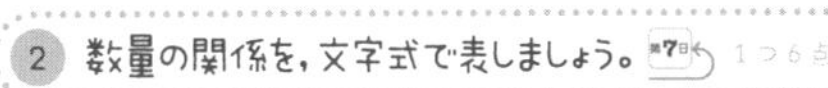

2 数量の関係を，文字式で表しましょう。 第7日 1つ6点 12点

① 十の位の数が x，一の位の数が9の2けたの自然数。

（ $10x+9$ ）

② 1本70円のえんぴつを x 本，1個100円の消しゴムを y 個買ったときの代金の合計。

（ $70x+100y$ ）円

3 次の問いに答えましょう。 第8日 1つ6点 12点

① $x=-8$ のとき，$3-5x$ の値を求めましょう。 （ ）をつけて代入。

$3-5\times x=3-5\times(-8)$

$=3-(-40)=3+40=43$

かけ算を先に計算。 （ 43 ）

② $a=-2$ のとき，$3a^2-9$ の値を求めましょう。 （ ）をつけて代入

$3\times a^2-9=3\times(-2)^2-9$

$=3\times 4-9$

$=12-9=3$ （ 3 ）

4 次の計算をしましょう。 第9日～第11日 1つ8点 64点

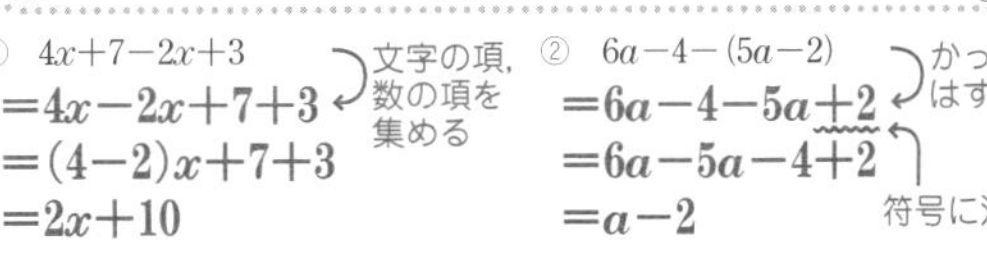

① $4x+7-2x+3$

$=4x-2x+7+3$ 文字の項，数の項を集める

$=(4-2)x+7+3$

$=2x+10$ （ $2x+10$ ）

② $6a-4-(5a-2)$

$=6a-4-5a+2$ かっこをはずす

$=6a-5a-4+2$ 符号に注意！

$=a-2$ （ $a-2$ ）

③ $5y\times(-4)$

$=5\times y\times(-4)$ 数どうしを計算

$=5\times(-4)\times y$

$=-20y$ （ $-20y$ ）

④ $-24a\div(-8)$ 分数の形に

$=\dfrac{-24a}{-8}=\dfrac{\overset{3}{\cancel{24}}a}{\underset{1}{\cancel{8}}}=3a$ （ $3a$ ）

⑤ $-60x\div\left(-\dfrac{3}{5}\right)$ 逆数をつくってかけ算にする

$=-60x\times\left(-\dfrac{5}{3}\right)$

$=\dfrac{\overset{20}{\cancel{60}}x\times 5}{\underset{1}{\cancel{3}}}$

$=20x\times 5$

$=100x$ （ $100x$ ）

⑥ $(12m-6)\div\left(-\dfrac{2}{3}\right)$

$=(12m-6)\times\left(-\dfrac{3}{2}\right)$ かけ算に

$=12m\times\left(-\dfrac{3}{2}\right)-6\times\left(-\dfrac{3}{2}\right)$

$=-18m+9$ （ $-18m+9$ ）

⑦ $4(x-2)+2(3x+4)$

$=4x-8+6x+8$

$=4x+6x-8+8$

$=10x$ （ $10x$ ）

⑧ $2(3a+7)-4(2a-5)$

$=6a+14-8a+20$

$=6a-8a+14+20$

$=-2a+34$ （ $-2a+34$ ）

解き方

1 文字式の表し方の基本は，×の記号をはぶき，数を文字の前に書くことです。また，÷の記号は使わずに分数の形に書きます。

① 数の1ははぶきますが，－の符号ははぶけません。

④ 分子にはかっこをつけないことにも注意しましょう。

2 ここで使う数量の関係です。

● 十の位が a，一の位が b の2けたの自然数 → $10a+b$

● 代金＝単価×個数 （単価…1個の値段）

3 式の値を求めるときは，

❶ もとの式を×を使った式に直す。

❷ 文字に数を代入する。（負の数や分数はかっこをつけて代入する）

❸ 数の計算をする。（計算の順序は，累乗・かっこ→乗法・除法→加法・減法）

4 文字式のたし算・ひき算は，次の計算法則を使って，1つの項にまとめます。

$mx+nx=(m+n)x$

② かっこをはずすとき，符号の変わり方に注意しましょう。

③～⑥ 文字式と数とのかけ算・わり算は，

かけ算→数どうしの積に文字をかける

わり算→分数の形にして，数どうしで約分する（わる数が分数のときは，わる数の逆数をかけるかけ算に直す）

⑤⑥は逆数をつくってかけ算に直します。

負の数の逆数は，負の数です。符号まで変えないように注意しましょう。

⑥はかけ算に直すと，分配法則でかっこをはずすことができます。

分配法則 $(a+b)c=ac+bc$

⑦，⑧ 数×（ ）の式をたしたりひいたりするには，かっこをはずして，文字の項どうし，数の項どうしをまとめます。

⑧では，後ろの式のかっこをはずすとき，符号の変わり方に十分注意しましょう。

第12日 方程式を解いてみよう

たしかめよう

□や○にあてはまる数や式，符号を書きましょう。 P.74

等式の性質を使って，次の方程式を解きましょう。

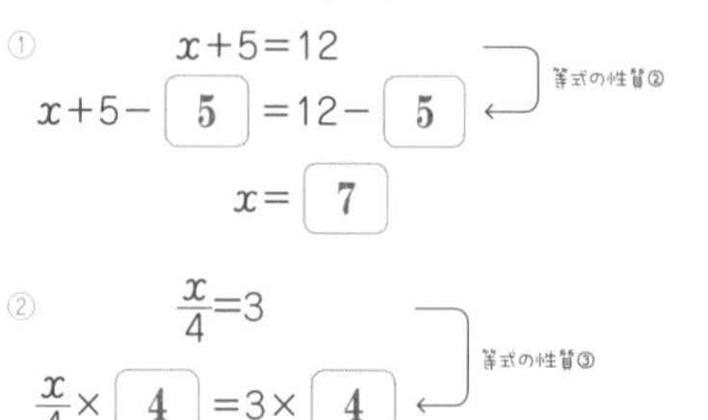

① $x+5=12$

$x+5-\boxed{5}=12-\boxed{5}$ ← 等式の性質②

$x=\boxed{7}$

② $\frac{x}{4}=3$

$\frac{x}{4}\times\boxed{4}=3\times\boxed{4}$ ← 等式の性質③

$x=\boxed{12}$

等式の性質

$A=B$ のとき，
① $A+C=B+C$
② $A-C=B-C$
③ $A\times C=B\times C$
④ $A\div C=B\div C$
（$C\neq0$）

移項を利用して，次の方程式を解きましょう。

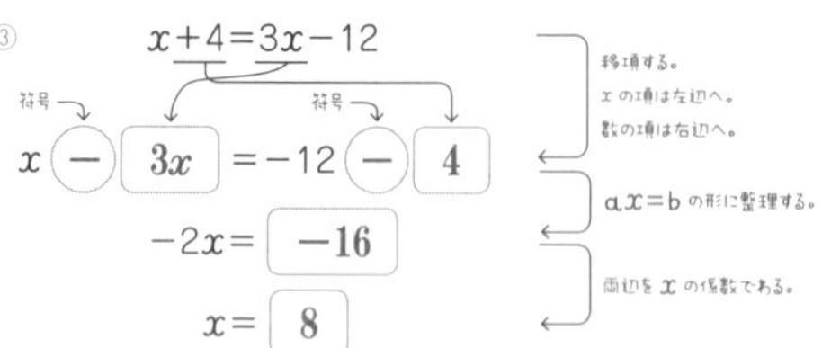

③ $x+4=3x-12$

$x\ \text{(−)}\ \boxed{3x}=-12\ \text{(−)}\ \boxed{4}$ ← 移項する。x の項は左辺へ。数の項は右辺へ。

$-2x=\boxed{-16}$ ← $ax=b$ の形に整理する。

$x=\boxed{8}$ ← 両辺を x の係数でわる。

やってみよう

次の方程式を解きましょう P.75

① $x-3=9$

$x-3+3=9+3$ ／ $x=9+3$

$x=12$ ／ $x=12$

▲等式の性質①を利用 ▲移項を利用

② $x+7=2$

$x+7-7=2-7$ ／ $x=2-7$

$x=-5$ ／ $x=-5$

▲等式の性質②を利用 ▲移項を利用

③ $4x=-24$

$4x\div4=-24\div4$

$\frac{4x}{4}=-\frac{24}{4}$

$x=-6$

④ $\frac{1}{3}x=30$

$\frac{1}{3}x\times3=30\times3$

$x=90$

⑤ $3x=4x+21$ ← $4x$を左辺へ移項

$3x-4x=21$

$-x=21$ ← $ax=b$の形

$x=-21$

⑥ $16-5x=3x$ ← 移項

$-5x-3x=-16$

$-8x=-16$ ← 両辺を-8でわる

$x=2$

⑦ $4x-8=2x+12$ ← 移項

$4x-2x=12+8$

$2x=20$ ← 両辺を2でわる

$x=10$

⑧ $12-2x=3x+7$ ← 移項

$-2x-3x=7-12$

$-5x=-5$ ← 両辺を-5でわる

$x=1$

アドバイス 等式の性質は，方程式を解くときの基本だよ。でも，等式の性質①②は，「**移項**」を利用したほうがかんたんなので，移項を利用しよう。方程式を解く手順は，❶文字の項を左辺，数の項を右辺に移項する　❷両辺を整理して $ax=b$ の形にする　❸両辺を x の係数 a でわる　だよ。

第13日 いろいろな方程式に挑戦！

たしかめよう

□にあてはまる数や式を書きましょう P.78

かっこをはずして，次の方程式を解きましょう。

① $3(x+2)=5x$ ← かっこをはずす。

$3x+\boxed{6}=5x$ ← 移項する。

$3x\ \boxed{-5x}=-6$

$-2x=-6$ ← x の係数で両辺をわる。

$x=\boxed{3}$

係数を整数に直して，次の方程式を解きましょう。

② $1.5x+0.6=1.8x$ ← 両辺に10をかける。

$15x+\boxed{6}=18x$ ← 移項する。

$15x-18x=\boxed{-6}$

$-3x=\boxed{-6}$ ← x の係数で両辺をわる。

$x=\boxed{2}$

③ $\frac{1}{4}x+5=\frac{3}{2}x$ ← 両辺に4をかける。

$x+20=\boxed{6x}$ ← 移項する。

$x-6x=\boxed{-20}$

$-5x=\boxed{-20}$ ← x の係数で両辺をわる。

$x=\boxed{4}$

やってみよう

次の方程式を解きましょう P.79

① $2(3x-4)=x+7$

$6x-8=x+7$

$6x-x=7+8$

$5x=15$

$x=3$

② $3x-(x-5)=7$　×(−1)

$3x-x+5=7$

$3x-x=7-5$

$2x=2$

$x=1$

③ $0.7x=0.5x+1$

両辺に10をかけて，

$7x=5x+10$ ← ここにかけ忘れて1としやすいので注意！

$7x-5x=10$

$2x=10$ ← 両辺を2でわる

$x=5$

④ $0.4x+1=0.2x-3$

両辺に10をかけて，

$4x+10=2x-30$ ← 移項

$4x-2x=-30-10$

$2x=-40$ ← 両辺を2でわる

$x=-20$

⑤ $\frac{1}{2}x-\frac{2}{3}=x+\frac{1}{3}$

両辺に6をかけて，

$\frac{1}{2}x\times6-\frac{2}{3}\times6=x\times6+\frac{1}{3}\times6$

$3x-4=6x+2$ ← 移項

$3x-6x=2+4$

$-3x=6$ ← 両辺を-3でわる

$x=-2$

⑥ $\frac{1}{6}x-2=x-\frac{3}{4}$

両辺に12をかけて，

$\frac{1}{6}x\times12-2\times12=x\times12-\frac{3}{4}\times12$

$2x-24=12x-9$ ← 移項

$2x-12x=-9+24$

$-10x=15$ ← 両辺を-10でわる

$x=-\frac{15}{10}$

$x=-\frac{3}{2}$

アドバイス かっこのある方程式は，まず**分配法則でかっこをはずそう**。

小数や分数がある方程式では，**両辺を何倍かして係数を整数にしてから計算**しよう。小数係数では，両辺に10，100，……をかけ，分数係数では分母の最小公倍数を両辺にかけて分母をはらおう。

第14日 方程式の文章題を解こう

たしかめよう

□にあてはまる数や式を書きましょう　P.82

問題　一の位が8である2けたの整数があります。この整数の一の位の数と十の位の数を入れかえた整数は，もとの整数より27大きくなります。もとの整数を求めましょう。

考え方　2けたの整数，たとえば52は次のように表せます。

$52=50+2=5\times10+2$

（十の位の数は5　一の位の数は2　十の位の数　一の位の数）

十の位	一の位
5	2
10が5個	1が2個

問題の一の位が8である2けたの整数は，十の位の数をxとすると，

十の位	一の位
x	8
10がx個	1が8個

$x\times10+8=10x+$ [8] ……①

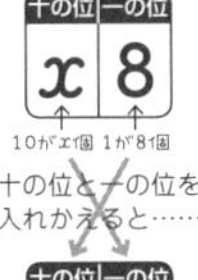

この整数の一の位の数と十の位の数を入れかえた整数は，十の位の数が8，一の位の数がxだから，

十の位	一の位
8	x
10が8個	1がx個

$8\times10+$ [x] ……②

②は①より [27] 大きいことから，方程式をつくります。

解答　もとの整数の十の位の数をxとすると，

$8\times10+x=$ [$10x+8$] $+27$

$8\times10+x=10x+8+27$
$80+x=10x+35$
$x-10x=35-80$
$-9x=-45$
$x=5$

この方程式を解くと，$x=$ [5]

xは1けたの自然数だから，$x=5$は問題にあっている。（十の位の数だから，1～9のどれかの数。）

答え [58]

やってみよう

P.83

問題　1個50円のガムと1個120円のプリンを合わせて20個買いました。代金の合計は1560円です。ガムとプリンはそれぞれ何個買いましたか。

50円のガムをx個買ったなら，**120**円のプリンは$(20-x)$個買ったことになる。方程式は，$50x+120(20-x)=1560$

これを解くと，$x=12$ ←問題にあっている。

よって，ガムは**12**個，プリンは$20-12=8$（個）

答え　ガム……　**12**個　プリン……　**8**個

問題　鉛筆（えんぴつ）を何人かの子どもに配ります。1人に6本ずつ配ると11本たりません。また，1人に5本ずつ配ると15本余ります。

(1)　子どもの人数をx人として，1人に6本ずつ配ったときの全部の鉛筆の本数を，xを使って表しましょう。

x人の子どもに6本ずつ配る　→ $6x-11$（本）　11本たりない

(2)　子どもの人数と，全部の鉛筆の本数を求めましょう。

1人に**5**本ずつ配ると**15**本余るから，全部の鉛筆の本数は$5x+15$とも表せる。したがって，方程式は，

$6x-11=5x+15$

これを解くと，$x=26$ ←問題にあっている。

子どもの人数は**26**人。全部の鉛筆の本数は，$5x+15$に$x=26$を代入して，**145**本。

答え　子どもの人数……　**26**人　全部の鉛筆の本数……　**145**本

アドバイス

文章題では方程式をつくるまでの考え方が大切だね。問題で示されている数量の関係をしっかり読み取って，何をxとするかを決めて方程式をつくろう。方程式が解けたら，解が問題にあっているかの検討も忘れずに。ふつう，個数や本数が分数や小数になることはないよ。

やってみよう の方程式の解き方

$50x+120(20-x)=1560$
$50x+2400-120x=1560$（かっこをはずす）
$50x-120x=1560-2400$（移項）
$-70x=-840$
$x=12$

$6x-11=5x+15$
$6x-5x=15+11$（移項）
$x=26$

P.84〜85

範囲：第12日〜第14日
解答：別冊 p. 12

① $x-2=4$
$x-2+\boxed{2}=4+\boxed{2}$ （$-2+2$ → 0）
$x=\boxed{6}$

② $x+5=9$
$x+5-\boxed{5}=9-\boxed{5}$ （$+5-5$ → 0）
$x=\boxed{4}$

③ $\frac{1}{3}x=2$
$\frac{1}{3}x\times\boxed{3}=2\times\boxed{3}$
$x=\boxed{6}$

④ $4x=20$
$4x\div\boxed{4}=20\div\boxed{4}$
$\frac{4x}{\boxed{4}}=\frac{20}{\boxed{4}}$
$x=\boxed{5}$

2 次の方程式を解きましょう。 1つ7点 42点

① $x+7=4$ 移項
$x=4-7$
$x=-3$
（ $x=-3$ ）

② $2x-5=3$ 移項
$2x=3+5$
$2x=8$ 両辺を2でわる。
$x=4$
（ $x=4$ ）

③ $x-12=4x+3$
$x-4x=3+12$
$-3x=15$
$x=-5$
（ $x=-5$ ）

④ $0.7x-1=1.3x+0.2$ 両辺に10をかける。
$7x-10=13x+2$
$7x-13x=2+10$
$-6x=12$
$x=-2$
（ $x=-2$ ）

⑤ $\frac{1}{3}x-1=\frac{1}{2}x+5$ 両辺に6をかける。
$2x-6=3x+30$
$2x-3x=30+6$
$-x=36$
$x=-36$
（ $x=-36$ ）

⑥ $x-3=4(x+3)$
$x-3=4x+12$ （ ）をはずす。
$x-4x=12+3$
$-3x=15$
$x=-5$
（ $x=-5$ ）

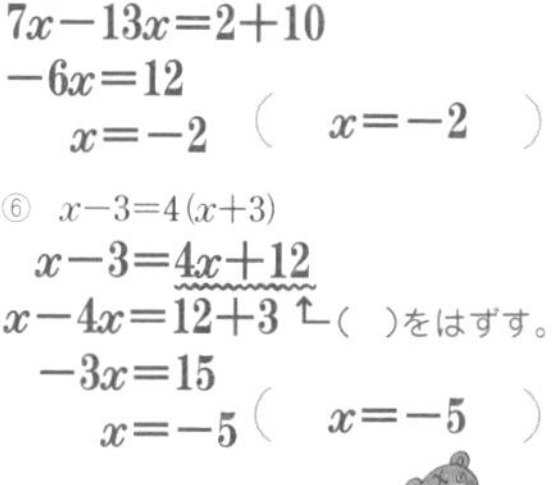

3 次の問いに答えましょう。 1つ10点 30点

何人かの子どもが，長いすにすわります。1つのいすに3人ずつすわると，5人すわれません。1つのいすに4人ずつすわると，最後のいすは3人になります。

① いすの数を x 脚として，方程式をつくりましょう。

子どもの人数は，
・3人ずつすわったとき……$x\times3+5$(人)（すわれない5人）
・4人ずつすわったとき……$(x-1)\times4+3$(人)（4人すわるいすの数，最後のいすにすわる3人）

方程式（ $3x+5=4(x-1)+3$ ）

② 方程式を解いて，いすの脚数と子どもの人数を，それぞれ求めましょう。

方程式を解くと，$x=6$　よって，いすは6脚。
子どもの人数は，$3\times6+5=23$(人)
$3x+5$ に $x=6$ を代入　$4(x-1)+3$ に $x=6$ を代入してもよい

いす…（ 6 ）脚，子ども…（ 23 ）人

解き方

1 「等式の性質」を確認する問題です。

等式の性質
$A=B$ のとき，
① $A+C=B+C$
② $A-C=B-C$
③ $A\times C=B\times C$
④ $A\div C=B\div C$　$(C\neq0)$

2 方程式の解き方の手順
❶文字の項を左辺，数の項を右辺に移項する。
❷両辺を整理して $ax=b$ の形にする。
❸両辺を x の係数 a でわる。

④，⑤　両辺を何倍かして係数を整数に直して計算するとミスが少なくなります。⑤を分数係数のまま計算すると次のようになります。

$$\frac{1}{3}x-1=\frac{1}{2}x+5$$
移項
$$\frac{1}{3}x-\frac{1}{2}x=5+1$$
通分
$$\frac{2}{6}x-\frac{3}{6}x=5+1$$
$$-\frac{1}{6}x=6$$
両辺に−6をかける
$$x=-36$$

⑥　まず，分配法則でかっこをはずします。

3 問題の関係を図に表すと，下のようになります

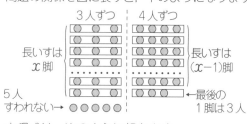

方程式は，次のように解きます。

$$3x+5=4(x-1)+3$$
かっこをはずす
$$3x+5=4x-4+3$$
$$3x-4x=-4+3-5$$
$$-x=-6$$
$$x=6$$

x は長いすの脚数で自然数ですから，解は問題にあっています。